P. Brogini
A. Filippone
A. Muzzi

Raccontare il Novecento

Percorsi didattici nella letteratura italiana attraverso i racconti di Dino Buzzati, Italo Calvino, Natalia Ginzburg, Alberto Moravia

www.edilingua.it

Patrizia Brogini è specialista in didattica dell'italiano come lingua straniera e collaboratore ed esperto linguistico presso l'Università per Stranieri di Siena dal 1993. È autrice di articoli di linguistica e glottodidattica su riviste specializzate.

Antonella Filippone è collaboratore ed esperto linguistico presso l'Università per Stranieri di Siena dal 1992. È specialista in didattica dell'italiano come lingua straniera e ha pubblicato articoli di linguistica e glottodidattica su riviste specializzate.

Alessandra Muzzi è specialista in didattica dell'italiano a stranieri e direttore didattico del Comitato Dante Alighieri di Siena dove è anche docente di corsi di lingua e cultura. È responsabile della Certificazione PLIDA e autrice di testi di glottodidattica.

© **edizioni Edilingua**
Sede legale
Via Cola di Rienzo, 212 00192 Roma
Tel. +39 06 96727307
Fax +39 06 94443138
info@edilingua.it
www.edilingua.it

Deposito e Centro di distribuzione
Via Moroianni, 65 12133 Atene
Tel. +30 210 5733900
Fax +30 210 5758903

I edizione: 2005
ISBN: 978-960-6632-16-7

Redazione: Antonio Bidetti, Maria Grazia Galluzzo

Ogni azione umana ha un impatto sull'ambiente. A Edilingua siamo convinti che il futuro del nostro Pianeta dipende anche da ognuno di noi. "**La Terra ha bisogno del tuo aiuto**" è una piccola ma costante campagna di sensibilizzazione rivolta agli studenti: ogni nostro libro vuole essere un invito alla riflessione, uno stimolo al risparmio energetico e alla riduzione delle emissioni di CO_2. Ulteriori informazioni sul nostro sito (in "chi siamo").

Ringraziamo sin da ora i lettori e i colleghi che volessero farci pervenire eventuali suggerimenti, segnalazioni e commenti (da inviare a redazione@edilingua.it).

INTRODUZIONE

Questo lavoro è rivolto a studenti di italiano L2/LS che si possono riconoscere nel profilo linguistico intermedio-avanzato (B2, C1, C2 del Framework Europeo) poiché la loro competenza è tale da permettere il confronto con le particolari caratteristiche linguistico-culturali di un testo letterario che propone una comunicazione specifica.

Le finalità di questo lavoro sono sostanzialmente quelle di fornire allo studente un serbatoio testuale da cui partire per nuovi viaggi letterari alla scoperta della lingua, sia degli autori scelti, che eventualmente di altri scrittori italiani. Lo studente coglierà la prevalente funzione poetica presente nei testi letterari (Segre, 1999: pp.35-36).

Il gioco linguistico presente nel messaggio letterario, come in tutti i prodotti artistici, è fondamentalmente ambiguo e polisemico, suscettibile sempre di nuove interpretazioni.

Il testo letterario, presentando un linguaggio con una notevole ricchezza espressiva, stimola nello studente il confronto con la complessità linguistica, abituandolo a passaggi sempre più graduali e articolati, ricchi di spunti di riflessione metalinguistica (per esempio lo studio delle varietà della lingua).

Per questo motivo oggi ha senso proporre lo studio di testi letterari a studenti stranieri, in quanto la loro complessità è una delle testimonianze della ricchezza e della vitalità della lingua. Il testo letterario può essere quindi efficace didatticamente proprio perché non è "normale", perché presenta un "consapevole distacco" dallo standard linguistico e perché fornisce stimoli linguistico-culturali che sviluppano creatività, rivelando le potenzialità della lingua stessa (Lavinio, 1990: p. 47).

La scelta di questi autori (Buzzati, Calvino, Ginzburg, Moravia) è dovuta alla loro importante presenza nel panorama letterario italiano come rilevante punto di riferimento nella produzione culturale contemporanea. La formula del racconto è molto indicata per lo studio e l'analisi linguistica, in quanto la brevità e la compattezza tematica si rivelano caratteristiche ideali in molte fasi dell'apprendimento.

Abbiamo selezionato quattro racconti per ogni autore, cercando di scegliere quelli più accattivanti (da un punto di vista linguistico e culturale) e in qualche modo rappresentativi anche del loro stile.

Le unità di apprendimento sono state strutturate in maniera omogenea presentando all'inizio il racconto adattato seguito da un glossario che semplifica la comprensione dei termini e delle espressioni più complesse. Seguono poi, l'attività di comprensione del testo e attività relative alla riflessione narratologica e linguistica. L'ultima sezione è dedicata ad attività produttive, sia scritte che orali, che vedono lo studente impegnato a lavorare, singolarmente o in gruppo, per sviluppare la tematica peculiare di ogni racconto.

PRIMO RAPPORTO SULLA TERRA DELL'INVIATO "SPECIALE" DELLA LUNA

da *Racconti surrealisti e satirici* di Alberto Moravia

Strano paese. È abitato da due razze ben distinte, sia moralmente, sia, fino ad un certo punto, fisicamente: la razza degli uomini chiamati ricchi e quella degli uomini chiamati poveri. [...]

Dicono dunque i ricchi che i poveri sono una gente venuta da non si sa dove, che si stabilì nel paese in tempi immemorabili e che da allora non ha fatto che **proliferare**, sempre mantenendo inalterato il suo spiacevole carattere. Nessuno, conosciuto questo carattere, potrebbe non **deplorarlo** e dar torto ai ricchi. I poveri, prima di tutto, non amano la pulizia e la bellezza. I loro vestiti sono **sudici** e **rattoppati**, le loro case squallide, le loro **masserizie** logore e brutte. Ma per una strana perversione del gusto essi sembrano preferire gli stracci ai panni nuovi, le case popolari alle ville e ai palazzi, i mobili di poco prezzo a quelli di marca.

Chi infatti, domandano i ricchi, potrebbe affermare di aver mai visto un povero ben vestito e alloggiato in una bella casa, tra **suppellettili** di lusso? [...]

Ancora: i poveri odiano la natura. Alla bella stagione i ricchi **sogliono** andarsene di qua e di là, al mare, in campagna, in montagna. Godono delle belle acque azzurre, del-

l'aria pura, delle solitudini alpestri; ritemprano gli animi e i corpi. Ma i poveri non vogliono uscire a nessun costo dai loro fetidi quartieri cittadini. Il variare delle stagioni li lascia indifferenti; non sentono il bisogno di mitigare il freddo col caldo e il caldo col freddo; preferiscono al mare le vasche municipali, alla campagna i rognosi prati
20 della periferia, e ai monti le terrazze delle loro case. Ora, domandano i ricchi, come si fa a non amare la natura? [...]

Non parliamo della cucina dei poveri. Non esistono per loro i deliziosi manicaretti, i vini vecchi, i dolci squisiti. Essi preferiscono di gran lunga rozzi cibi quali fagioli, le cipolle, le rape, le patate, l'aglio, il pan secco. Quelle rare volte che si adattano a man-
25 giare carne e pesce, state pur certi, che sceglieranno infallibilmente il pesce più tiglioso, la carne più dura. Il vino non gli piace che agro o annacquato. Non amano le primizie e aspettano a mangiare i piselli quando sono farinosi, i carciofi quando sono stopposi, gli asparagi quando sono legnosi. Impossibile, insomma, fargli apprezzare la gioia della tavola. [...]

30 Altra stranezza dei poveri: la salute non gli preme. Che altro si dovrebbe pensare, infatti, vedendo la noncuranza con la quale si espongono alle intemperie e la negligenza che, una volta malati, pongono nel curarsi? Non comprano medicine, non vanno in sanatorio, neanche accettano di starsene a letto quei giorni o quei mesi che sono necessari.

35 I ricchi spiegano che i poveri trascurano la salute per quella loro assurda passione di non mancare un solo giorno nelle fabbriche, nelle miniere e nei campi. È incomprensibile, ma tant'è: la ragione è questa. [...]

I ricchi ci informano che studi approfonditi sulla razza dei poveri sono stati fatti in tutti i tempi. Grosso modo, gli studiosi si dividono in due categorie: coloro che
40 attribuiscono il carattere dei poveri ad una perversità, per così dire, volontaria, e pensano che si potrebbe correggerli e trasformarli; e coloro che affermano non esservi rimedio, perché quel carattere è innato. I primi consigliano un'attiva predicazione e opera di persuasione; i secondi, più scettici, soltanto delle misure di polizia. Questi ultimi sembrano aver ragione perché fin adesso tutte le prediche sui vantaggi della
45 pulizia, della bellezza, del lusso, della cultura e dell'ozio, non hanno sortito alcun risultato.

Anzi, nonostante le cure che i ricchi si prendono dei poveri, questi, assai ingrati, non amano i ricchi. Bisogna però riconoscere che i ricchi non sempre riescono a nascondere la loro ripugnanza per il modo di vivere dei poveri.

50 Come sempre, nei nostri viaggi, abbiamo voluto sentire anche l'altra campana. Così abbiamo interrogato i poveri. Non è stato facile, vista la loro ignoranza di qualsiasi lingua che non sia quella del paese. Però, alla fine, siamo riusciti ad ottenere questa straordinaria risposta: la ragione della differenza tra loro e i ricchi è una sola: e cioè che i

ricchi posseggono una cosa chiamata denaro, la quale, invece, fa quasi sempre difetto
5 ai poveri.

Abbiamo voluto vedere che cosa fosse questo denaro capace di produrre diversità così enormi. E abbiamo scoperto che si tratta per lo più di foglietti di carta colorata o di pezzetti di metallo di forma tonda.

Data la ben nota inclinazione dei poveri a nascondere la verità, dubitiamo che
0 questo cosiddetto denaro sia la causa determinante di così strani effetti.

E perciò ripetiamo: strano paese.

GLOSSARIO

deplorarlo: (deplorare) condannare, disapprovare un fatto

fetidi: con un odore schifoso, intollerabile

infallibilmente: senza possibilità di errore o incertezza

manicaretti: pietanze elaborate con molta accuratezza e con gusto squisito

masserizie: insieme dei mobili e dei suppellettili di un'abitazione modesta

proliferare: riprodursi rapidamente e abbondantemente, dando luogo a una discendenza

rattoppati: vestiti ricuciti con toppe

ripugnanza: avversione, disgusto

rognosi: fastidiosi perché non curati

sogliono: (solere) avere l'abitudine di

sudici: molto sporchi, spregevoli

suppellettili: tutto ciò che serve ad arredare una casa

tiglioso: duro, difficile da masticare

1 ATTIVITÀ DI COMPRENSIONE

1. Completate la griglia con i dati che potete ricavare dal racconto:

POVERI	**RICCHI**
Caratteristiche fisiche	Caratteristiche fisiche
Caratteristiche psicologiche	Caratteristiche psicologiche
Ambienti in cui vivono	Ambienti in cui vivono
Passatempi	Passatempi

2. Spiegate quali sono le ragioni di tali differenze tra ricchi e poveri:

....

....

3. Perché la terra viene definita uno "strano paese"?

....

....

4. Che tipo di testo potrebbe essere: ironico, comico, sarcastico? Giustificate la vostra scelta citando le frasi in cui potete ritrovare tale definizione:

....

....

2) RIFLESSIONI NARRATOLOGICHE

1. Il narratore, presente nel racconto, prova un coinvolgimento emotivo? Perché?

....

....

2. Qual è l'elemento che provoca sorpresa nella linearità della narrazione?

....

....

3. Sottolineate nel testo le parti descrittive: può definirsi un testo descrittivo? Perché?

....

....

3) RIFLESSIONI LINGUISTICHE

1. Ricercate nel racconto alcune parole/espressioni che vi sembrano contraddistinte da una connotazione negativa:

....

....

2. Alla fine del racconto compare l'espressione «abbiamo voluto sentire anche l'altra campana»: provate a spiegarne il significato con parole vostre:

....

....

3. Trasformate le domande retoriche del racconto nelle corrispettive affermazioni:

....

....

4. Completate il testo introducendo negli spazi vuoti le preposizioni:

Dicono dunque i ricchi che i poveri sono una gente venuta .... non si sa dove, che si stabilì nel paese .... tempi immemorabili e che .... allora non ha fatto che proliferare, sempre mantenendo inalterato il suo spiacevole carattere. Nessuno, conosciuto questo carattere, potrebbe non deplorarlo e dar torto .... ricchi. I poveri, prima .... tutto, non amano la pulizia e la bellezza. I loro vestiti sono sudici e rattoppati, le loro case squallide, le loro masserizie logore e brutte. Ma .... una strana perversione .... gusto essi sembrano preferire gli stracci .... panni nuovi, le case popolari .... ville e .... palazzi, i mobili .... poco prezzo .... quelli .... marca.

5. Completate il brano seguente con le parole mancanti:

Non parliamo della cucina dei poveri. Non esistono per loro i deliziosi manicaretti, i vini vecchi, i .... squisiti. Essi preferiscono di gran .... rozzi cibi quali fagioli, le cipolle, le ...., le patate, l'aglio, il pan secco. Quelle rare volte che si adattano a mangiare carne e pesce, state pur certi, che sceglieranno infallibilmente il .... più tiglioso, la carne più dura. Il vino non gli piace che .... o annacquato. Non amano le .... e aspettano a mangiare i piselli quando sono farinosi, i carciofi quando sono ...., gli asparagi quando sono .... Impossibile, insomma, fargli apprezzare la gioia della tavola.

lunga, pesce, stopposi, legnosi, rape, primizie, dolci, agro.

4 ATTIVITÀ DI PRODUZIONE ORALE E/O SCRITTA

1. Secondo voi, i ricchi e i poveri possono definirsi "razze"? Perché in questo testo si parla di "razza" a proposito dei ricchi e dei poveri?

....

....

2. Lavorate in gruppo: fingete di essere anche voi "inviati speciali" sulla terra: provate a descrivere la condizione dei ricchi in modo drammatico:

....

....

3. Per quale motivo questo racconto può definirsi satirico e fantastico?

....

....

4. Chi è per voi, al di là delle considerazioni sulla materialità, un uomo ricco e un uomo povero?

....

....

5. In gruppo: realizzate un riassunto scritto, confrontate le diverse elaborazioni e sceglietene la migliore:

....

....

....

....

....

....

....

LE SCARPE ROTTE

da *Le piccole virtù* di Natalia Ginzburg

Io ho le scarpe rotte e l'amica con la quale vivo in questo momento ha le scarpe rotte anche lei. Stando insieme parliamo spesso di scarpe. Se le parlo del tempo in cui sarò una vecchia scrittrice famosa, lei subito mi chiede: «Che scarpe avrai?». Allora le dico che avrò delle scarpe di **camoscio** verde, con una gran **fibbia** d'oro da un lato.

Io appartengo a una famiglia dove tutti hanno scarpe solide e sane. Mia madre anzi ha dovuto far fare un **armadietto** apposta per tenerci le scarpe, tante paia ne aveva. Quando torno fra loro, levano alte grida di sdegno e di dolore alla vista delle mie scarpe. Ma io so che anche con le scarpe rotte si può vivere. Nel periodo tedesco ero sola qui a Roma, e non avevo che un solo paio di scarpe. Se le avessi date al calzolaio avrei dovuto stare due o tre giorni a letto, e questo non mi era possibile. Così continuai a portarle, e **per giunta** pioveva, le sentivo sfasciarsi lentamente, farsi **molli** ed **informi**, e sentivo il freddo del **selciato** sotto le piante dei piedi. È per questo che anche ora ho sempre le scarpe rotte, perché mi ricordo di quelle e non mi sembrano poi tanto rotte al confronto, e se ho del denaro preferisco spenderlo altrimenti, perché le scarpe non mi appaiono più come qualcosa di molto essenziale. Ero stata viziata dalla vita

prima, sempre circondata da un affetto tenero e **vigile**, ma quell'anno qui a Roma fui sola per la prima volta, e per questo Roma mi è cara, sebbene carica di storia per me, carica di ricordi angosciosi, poche ore dolci. Anche la mia amica ha le scarpe rotte, e per questo stiamo bene insieme. La mia amica non ha nessuno che la rimproveri per le
20 scarpe che porta, ha soltanto un fratello che vive in campagna e gira con degli stivali da cacciatore. Lei e io sappiamo quello che succede quando piove, e le gambe sono nude e bagnate e nelle scarpe entra l'acqua, e allora c'è quel piccolo rumore a ogni passo, quella specie di sciacquettìo.

La mia amica ha un viso pallido e maschio, e fuma in un **bocchino** nero. Quando la
25 vidi per la prima volta, seduta a un tavolo, con gli occhiali cerchiati di tartaruga e il suo viso misterioso e sdegnoso, col bocchino nero fra i denti, pensai che pareva un generale cinese. Allora non lo sapevo che aveva le scarpe rotte. Lo seppi più tardi.

Noi ci conosciamo soltanto da pochi mesi, ma è come se fossero tanti anni. La mia amica non ha figli, io invece ho dei figli e per lei questo è strano. Non li ha mai vedu-
30 ti se non in fotografia, perché stanno in provincia con mia madre, e anche questo fra noi è stranissimo, che lei non abbia mai veduto i miei figli. In un certo senso lei non ha problemi, può cedere alla tentazione di **buttar la vita ai cani**, io invece non posso. [...]

La mia amica qualche volta dice che è **stufa** di lavorare, e vorrebbe buttar la vita ai
35 cani. Vorrebbe chiudersi in una **bettola** a bere tutti i suoi risparmi, oppure mettersi a letto e non pensare più a niente, e lasciare che vengano a levarle il gas e la luce, lasciare che tutto **vada alla deriva** pian piano. Dice che lo farà quando io sarò partita. Perché la nostra vita comune durerà poco, presto io partirò e tornerò da mia madre e dai miei figli, in una casa dove non mi sarà permesso di portare le scarpe rotte. Mia
40 madre si prenderà cura di me, m'impedirà di usare degli spilli invece che dei bottoni, e di scrivere fino a notte alta. E io a mia volta mi prenderò cura dei miei figli, vincendo la tentazione di buttar la vita ai cani. Tornerò ad essere grave e materna, come sempre mi avviene quando sono con loro, una persona diversa da ora, una persona che la mia amica non conosce affatto.

45 Guarderò l'orologio e terrò conto del tempo, vigile ed attenta ad ogni cosa, e baderò che i miei figli abbiano i piedi sempre asciutti e caldi, perché so che così dev'essere se appena è possibile, almeno nell'infanzia. Forse anzi per imparare poi a camminare con le scarpe rotte, è bene avere i piedi asciutti e caldi quando si è bambini.

GLOSSARIO

armadietto: mobile di medie o piccole dimensioni usato per conservare indumenti, cibi o oggetti vari

bettola: osteria di basso livello

bocchino: cannellino di materiale vario in cui s'infila la sigaretta o il sigaro da fumare

buttar(e) la vita ai cani: sprecare la vita

camoscio: pelle di animale (mammifero agile, con corna brevi, che vive in montagna)

fibbia: fermaglio di varia materia o forma usato per tenere chiuse cinture o come ornamento

informi: privi di una forma precisa

molli: privi di rigidità

per giunta: inoltre

sciacquettìo: atto dello sciacquare continuo

selciato: pavimento costituito da ciottoli, usato per strade, piazze, cortili

stufa: annoiata, infastidita, seccata

vada alla deriva: (andare alla deriva) subire passivamente le avversità, le difficoltà, la sfortuna

vigile: che vigila, che osserva e segue con particolare accortezza e attenzione

ATTIVITÀ DI COMPRENSIONE

1. Perché la scrittrice porta le scarpe rotte?

....

....

2. Perché la madre della scrittrice non approva che la figlia porti le scarpe rotte?

....

....

3. Descrivete la figura dell'amica della scrittrice:

....

....

4. Qual è il suo atteggiamento nei confronti della vita?

....

....

5. Che tipo di rapporto avrà la scrittrice con i suoi figli?

....

....

6. Indicate le differenze tra la figura della scrittrice e quella dell'amica:

Scrittrice

....

....

Amica

....

....

2 RIFLESSIONI NARRATOLOGICHE

1. Da quali elementi linguistici deducete che il narratore è presente nel testo?

....

....

2. Secondo voi questo racconto può essere definito un testo prevalentemente descrittivo, narrativo o espositivo? Perché?

....

....

3. Dividete il racconto in sequenze in cui si nota il rapporto della scrittrice con la madre, i figli e l'amica:

....

....

....

3 RIFLESSIONI LINGUISTICHE

1. Nel testo ci sono nomi accompagnati da aggettivi. Per ognuno dei seguenti aggettivi trovate un sinonimo.

scarpe *solide* e *sane* ....

affetto *tenero* e *vigile* ....

gambe *nude* e *bagnate* ....

viso *pallido* e *maschio* ....

piedi *asciutti* e *caldi* ....

2. La parola "armadietto" indica un piccolo armadio e deriva dalla parola "armadio" a cui è stato aggiunto il suffisso diminutivo *-etto*. La parola "bocchino" indica un particolare strumento per fumare una sigaretta e ha un significato autonomo rispetto alla parola "bocca" da cui deriva (falso alterato).
Nella seguente lista di parole indicate, con l'aiuto del dizionario, quali sono i veri alterati diminutivi ed esprimete quale rapporto semantico intercorre tra la parola base e il suo derivato:

gattino ....
tavolino ....
gabinetto ....
postino ....
tacchino ....
libretto ....
ragazzetto ....
tombino ....
secchino ....
lupetto ....
berretto ....
rossetto ....
gelatino ....
vestitino ....
motorino ....
vasetto ....
pacchetto ....
mobiletto ....
foglietto ....
biglietto ....

3. Spiegate le seguenti espressioni linguistiche che compaiono nel testo:
occhiali cerchiati di tartaruga ....
bere tutti i suoi risparmi ....
levarle il gas e la luce ....

4. Nel testo la parola "altrimenti" viene usata con il significato di "altro modo". Cercate nel dizionario altri usi di questa parola e costruite delle frasi (potete svolgere questa attività anche in gruppo):

....
....
....

5. Nel testo compare l'espressione "buttar la vita ai cani". Trovate nel dizionario altri significati figurati del verbo buttare (potete svolgere quest'attività anche in gruppo):

....
....
....

6. Nel racconto la scrittrice alterna l'uso dei tempi passati al presente. Esprimete secondo voi il motivo di tale scelta stilistica:

....
....
....

4 ATTIVITÀ DI PRODUZIONE ORALE E/O SCRITTA

1. Spiegate il significato metaforico di "portare le scarpe rotte":

....

....

2. Chi sono secondo voi le persone che portano scarpe "solide e sane"?

....

....

3. Commentate la frase finale del racconto: «Forse anzi per imparare poi a camminare con le scarpe rotte, è bene avere i piedi asciutti e caldi quando si è bambini».

....

....

4. La scrittrice parla di un'amica con cui vive e condivide il fatto di avere le scarpe rotte: voi che cosa condividete con i vostri amici?

....

....

5. Scrivete un breve riassunto del brano:

....

....

....

....

....

....

....

6. Provate a raccontare oralmente a un compagno il contenuto del brano.

TEMPORALE E FULMINE

da *Boh* di Alberto Moravia

Ogni tanto mi vengono quelli che io, nel mio **gergo** privato, chiamo temporali. Cos'è, per me, un temporale? È un lento accumularsi, dentro di me, attraverso mesi e anni, dell'odio per qualche cosa che, però, non so cosa sia. [...]

A proposito, com'è finito il temporale dei miei diciott'anni? Malissimo, perché [...] ho sposato il primo venuto; [...] ma eccolo il mio primo venuto. [...] Cammina piano e come sconcertato, oppure è l'impressione che fanno le sue gambe incurvate e storte? E stringe in mano, in un solo mazzo un fascio di giornali **spiegazzati**. Come vedo i giornali, ecco, subito, qualche cosa scatta dentro di me, quasi una molla di furore troppo a lungo represso; e, infatti, subito, esplodo: «Ah, ci siamo, i giornali, eccoti te i tuoi giornali! Quanti ne leggi eh? Cinque, dieci, quindici? Quelli di Roma, quelli di Milano, quelli della tua sporca città? Ma si può sapere che vai cercando, che ci trovi in questi tuoi giornalacci? Sta' tranquillo, né te né io appariremo mai nei giornali. E infatti, i giornali io non li guardo neppure. [...]». Adesso mi sta davanti, brutto e misero, mi guarda fisso attraverso i suoi enormi occhiali, forse vorrebbe parlare, ma non gliene do il tempo: «E poi, è giunto il momento di dirlo, sono stufa di te, del nostro matrimonio, di tutta l'insopportabile baracca. Sì, abbiamo un superattico che è costato mezzo miliardo, arredato da un architetto famoso, in cui ogni mobile pesa un quintale e vale milioni; ma che ci facciamo in questo appartamento? Niente, assolutamente niente. O meglio sì, ci facciamo la vita di famiglia». [...]

20 Lui fuma e mi guarda; mi guarda e fuma. Non l'ho mai visto così, quasi mi fa paura, ma tant'è, il temporale è ancora in corso e deve sfogarsi: «Ma lo sai, quello che soprattutto non posso sopportare in questa nostra bella vita di famiglia? Il vostro modo di parlare. Sono italiana, parlo l'italiano e non capisco un'acca di quello che dite. Ma si può sapere cosa confabulate, di che cosa parlottate, che diavolo andate sussurrando fra
25 di voi? [...] Adesso voglio dirti una cosa che non ho mai detto a nessuno, si vede che è giornata di confidenze, oggi: lo sai qual è il mio ideale d'uomo, lo sai? Ebbene, sì, Alain Delon, quando fa il gangster, il ladro, il rapinatore, il delinquente, insomma. Sì, questo è il mio ideale, l'uomo bello e intrepido, che non ha paura di niente e di nessuno, dalla pistola facile, dalla vita leggendaria. [...] Sì, questo è il magnifico risultato
30 che hai ottenuto con il tuo culto della famiglia, la tua religione, la tua morale, il tuo perbenismo: che tua moglie sogna, ad occhi aperti di essere la moglie di un gangster».

Ci siamo, il temporale è finito; mi sono sfogata; e adesso, tutto ad un tratto, sono un po' spaventata. Anche perché lui mi guarda con uno sguardo che non gli conoscevo, uno sguardo nuovo, fisso, deliberato e, in qualche modo, disumano. Si avvicina
35 con brevi passi rigidi; quando mi sta sotto, leva una sola mano dalla tasca, poi vlan, vlan e vlan, mi schiaffeggia più volte con una forza oltraggiosa anch'essa nuova. Traballo tra gli schiaffi, riprendo il mio equilibrio, lo guardo, quindi do in un grido strano come se lo vedessi per la prima volta e scappo. Eccomi nell'anticamera; eccomi, a precipizio, per le scale; eccomi nella strada. Rallento il passo, mi avvio verso un
40 giardino pubblico che si trova non lontano dalla nostra casa [...].

Passa gente; mi vergogno di essere vista che piango; sulla panchina qualcuno ha lasciato un giornale; lo prendo e fingo di assorbirmi nella lettura [...]. Poi, pian piano, le lagrime rallentano; e ci vedo meglio. Allora, tutto ad un tratto, ecco, proprio nella prima pagina del giornale, ancora velata dal pianto ma riconoscibile, vedo la fotografia
45 di un uomo che mi sembra di conoscere. Riguardo, e mi convinco: è lui, è proprio la sua faccia, la faccia di colui che dentro di me, quando l'ho sposato, ho battezzato col nomignolo poco lusinghiero di "primo venuto".[...]

Prendo a leggere, non credo ai miei occhi. In quelle due colonne c'è tutto, proprio tutto quello che non ho mai saputo di lui e che lui finora mi ha nascosto: rapine, omi-
50 cidi, associazione a delinquere, droga, prostituzione. Già, anche prostituzione. C'è pure una sua intervista con un giornalista, in cui, naturalmente, nega tutto. Con una dichiarazione finale in cui lo riconosco: «Ma lei vuol scherzare. Io non so nulla di nulla. Io sono un padre di famiglia».[...]

55 E adesso ditemi un poco. Ho sposato un uomo d'ordine della più bell'acqua; e ho scoperto che era un delinquente. [...] Ahimè, la colpa è mia, ho sbagliato, ma dov'è stato lo sbaglio?

GLOSSARIO

associazione a delinquere: unione di persone a scopi delittuosi

baracca: costruzione vecchia e malandata

confabulate: (confabulare) parlare in tono familiare, sottovoce e in disparte

deliberato: risoluto, deciso

gergo: modo di parlare (spesso di un gruppo ristretto di persone) per far sì che gli altri non capiscano

intrepido: che ha coraggio in situazioni pericolose

lusinghiero: compiacente, incoraggiante

nomignolo: soprannome, storpiatura del nome

non capisco un'acca: (non capire un'acca) espressione figurata: non capire niente riguardo a un argomento. "Acca" vuol dire "nulla" in frasi negative (esempio: "non c'entra nulla", "non vale nulla"), poiché la lettera "h" in italiano non rappresenta alcun suono

oltraggiosa: offensiva, irriverente

parlottate: (parlottare) parlare a bassa voce, con circospezione e con una certa animazione

perbenismo: conformismo, atteggiamento di eccessivo rispetto verso le norme convenzionali del vivere

sfogarsi: manifestarsi con intensità

spiegazzati: pieni di pieghe e grinze

1 ATTIVITÀ DI COMPRENSIONE

1. Riordinate le sequenze in cui è suddiviso il racconto:

a) il marito la schiaffeggia e lei fugge via
b) il temporale più importante è stato a diciotto anni
c) la moglie conosce la vera identità del marito leggendo casualmente un giornale
d) la moglie non sopporta il dialetto del marito
e) la moglie non sopporta la famiglia

a) .... b) .... c) .... d) .... e) ....

2. Che cos'è un temporale per la protagonista?

....

....

3. Descrivete il carattere della protagonista:

....

....

4. Qual è l'uomo ideale per la protagonista?

....

....

2 RIFLESSIONI NARRATOLOGICHE

1. Quali sono gli eventi significativi del racconto?

....

....

2. Descrivete fisicamente e psicologicamente il protagonista maschile:

....

....

3. A quale tipo di testo fanno pensare i tempi (prevalentemente presente indicativo) del racconto?

....

....

3 RIFLESSIONI LINGUISTICHE

1. Spiegate il significato di queste espressioni in cui compaiono alcuni fenomeni atmosferici o naturali:

a. quella donna è stata travolta da una tempesta di passioni
b. corre come un fulmine

c. quel bambino è un terremoto
d. oggi è stata una giornata grigia
e. sulle decisioni che abbiamo preso non ci piove

....

....

....

....

....

2. Provate a trasformare i seguenti termini in sostantivi:

a) cattivo ....
b) cinico ....
c) onesto ....
d) vittima ....
e) colpevole ....

3. "Superattico" è un composto formato dal prefisso "super" + un sostantivo: provate a comporne altri usando questo prefisso.

....

....

4. Provate a cercare nel testo alcune espressioni o termini propri della malavita:

....

....

5. Individuate alcune espressioni tipiche dell'oralità:

....

....

6. Completate il testo con le parole mancanti:

Ci siamo, il temporale è finito; mi sono .... e adesso, tutto ad un tratto, sono un po' spaventata. Anche perché lui mi guarda con uno .... che non gli conoscevo, uno sguardo nuovo, fisso, deliberato e, in qualche modo .... Si avvicina con brevi passi rigidi; quando mi sta ...., leva una sola mano dalla tasca, poi vlan, vlan e vlan, mi schiaffeggia più volte con una forza .... anch'essa nuova. .... tra gli schiaffi, riprendo il mio equilibrio, lo guardo, quindi do in un grido .... come se lo vedessi per la prima volta e scappo. Eccomi nell'anticamera; eccomi, a ...., per le scale; eccomi nella strada. Rallento il passo, mi avvio verso un giardino .... che si trova non lontano dalla nostra casa.

traballo, oltraggiosa, sfogata, precipizio, pubblico, sguardo, sotto, strano, disumano

4 ATTIVITÀ DI PRODUZIONE ORALE E/O SCRITTA

1. Che tipo di classi sociali vengono evidenziate nel racconto?

....

....

....

2. Descrivete le cose che vi fanno arrabbiare: come reagite?

....

....

....

3. Il marito è sempre silenzioso: immaginate un monologo di risposta alle considerazioni della moglie.

....

....

....

4. Immaginate un seguito del racconto:

....

....

....

INVERNO IN ABRUZZO

da *Le piccole virtù* di Natalia Ginzburg

Deus nobis haec otia fecit.

In Abruzzo non c'è che due stagioni: l'estate e l'inverno. La primavera è nevosa e ventosa come l'inverno e l'autunno è caldo e limpido come l'estate. L'estate comincia in giugno e finisce in novembre. I lunghi giorni soleggiati sulle colline basse riarse, la gialla polvere della strada e la dissenteria dei bambini finiscono e comincia l'inverno. La gente allora cessa di vivere per le strade: i ragazzi scalzi scompaiono dalle scalinate della chiesa. Nel paese di cui parlo, quasi tutti gli uomini scomparivano dopo gli ultimi raccolti: andavano a lavorare a Terni, a Sulmona, a Roma. Quello era un paese di muratori: e alcune case erano costruite con grazia, avevano terrazze e colonnine come piccole ville, e stupiva di trovarci, all'entrare, grandi cucine buie coi prosciutti appesi e vaste camere squallide e vuote. Nelle cucine il fuoco era acceso e c'erano varie specie di fuochi, c'erano grandi fuochi con ceppi di quercia, fuochi di frasche e foglie, fuochi di sterpi raccattati ad uno ad uno per via. Era facile individuare i poveri e i ricchi, guardando il fuoco acceso, meglio di quel che si potesse fare guardando le case e la gente, i vestiti e le scarpe, che in tutti su per giù erano uguali.

Quando venni al paese di cui parlo, nei primi tempi tutti i volti mi parevano uguali, tutte le donne si rassomigliavano, ricche e povere, giovani e vecchie. Quasi tutte avevano la bocca sdentata: laggiù le donne perdono i denti a trent'anni, per le fatiche e il nutrimento cattivo, per gli strapazzi dei parti e degli allattamenti che si susseguono senza tregua. Ma poi a poco a poco cominciai a distinguere Vincenzina da Secondina, Annunziata da Addolorata, e cominciai a entrare in ogni casa e a scaldarmi a quei loro fuochi diversi.

Quando la prima neve cominciava a cadere, una lenta tristezza s'impadroniva di noi. Era un esilio il nostro: la nostra città era lontana e lontani erano i libri, gli amici, le vicende varie e mutevoli di una vera esistenza. Accendevamo la nostra stufa verde, col lungo tubo che attraversava il soffitto: ci si riuniva tutti nella stanza dove c'era la stufa, e lì si cucinava e si mangiava, mio marito scriveva al grande tavolo **ovale**, i bambini cospargevano di giocattoli il pavimento. Sul soffitto della stanza era dipinta un'aquila: e io guardavo l'aquila e pensavo era quello che l'esilio. L'esilio era l'aquila, era la stufa verde che **ronzava**, era la vasta e silenziosa campagna e l'immobile neve. Alle cinque suonavano le campane della chiesa di Santa Maria, e le donne andavano alla benedizione, coi loro **scialli** neri e il viso rosso. Tutte le sere mio marito ed io facevamo una passeggiata: tutte le sere camminavamo a braccetto, immergendo i piedi nella neve. Le case che costeggiavano la strada erano abitate da gente cognita e amica: e tutti uscivano sulla porta e ci dicevano: «Con una buona salute». Qualcuno a volte domandava: «Ma quando ci ritornate alle case vostre»? Mio marito diceva: «Quando sarà finita la guerra». «E quando finirà questa guerra? Te che sai tutto e sei professore, quando finirà?» Mio marito lo chiamavano "il professore" non sapendo pronunciare il suo nome, e venivano da lontano a **consultarlo** sulle cose più varie, sulla stagione migliore per togliersi i denti, sui **sussidi** che dava il municipio e sulle tasse e le imposte. [...]

C'era una certa **monotona** uniformità nei destini degli uomini. Le nostre esistenze si svolgono secondo leggi antiche ed immutabili, secondo una loro **cadenza** uniforme e antica. I sogni non si avverano mai e non appena li vediamo spezzati, comprendiamo a un tratto che le gioie maggiori della nostra vita sono fuori della realtà. Non appena li vediamo spezzati, ci struggiamo di nostalgia per il tempo che **fervevano** in noi. La nostra sorte trascorre in questa vicenda di speranze e di nostalgie.

Mio marito morì a Roma nelle carceri di Regina Coeli, pochi mesi dopo che avevamo lasciato il paese. Davanti all'orrore della sua morte solitaria, davanti alle angosciose alternative che precedettero la sua morte, io mi chiedo se questo è accaduto a noi, a noi che compravamo gli aranci da Girò e andavamo a passeggio nella neve. Allora io avevo fede in un avvenire facile e lieto, ricco di desideri **appagati**, di esperienze e di comuni imprese. Ma era quello il tempo migliore della mia vita e solo adesso che m'è sfuggito per sempre solo adesso lo so.

GLOSSARIO

appagati: soddisfatti, realizzati

cadenza: ritmo

consultarlo: (consultare) interrogare per avere un parere

fervevano: (fervere) ardere, ribollire

frasche: piccoli rami fronzuti, con foglie

ovale: detto di ciò che ha una forma ellittica simile ad un uovo di gallina

monotona: che è sempre uguale, uniforme

riarse: secche per l'eccessiva aridità

ronzava: (ronzare) emettere un caratteristico rumore sordo e vibrante

scalzi: che hanno i piedi nudi

scialli: tessuti di seta o lana, spesso frangiati che si usano per proteggere le spalle

sussidi: aiuti in denaro, finanziamenti

ATTIVITÀ DI COMPRENSIONE

1. Individuate se le seguenti affermazioni contenute nel racconto sono vere o false:

	V	F
a) L'estate era ventosa e nevosa.	☐	☐
b) L'inverno era caldo e limpido.	☐	☐
c) L'autunno era caldo e limpido.	☐	☐
d) D'inverno i bambini sono sempre scalzi sulle scalinate della chiesa.	☐	☐
e) L'aquila dipinta sul soffitto era un simbolo dell'esilio per la scrittrice.	☐	☐

2. Indicate come si individuano le differenze sociali nel paese abruzzese di cui parla la scrittrice:

....

....

3. Descrivete le caratteristiche degli abitanti abruzzesi:

....

....

4. Indicate il significato della parola esilio per la scrittrice e cercate nel testo il momento in cui questo esilio finisce:

....

....

5. Completate la seguente tabella:

	Giornata tipo	**Professione**	**Caratteristiche fisiche**	**Caratteristiche morali**
Narratrice				
Marito				

6. Completate con l'affermazione esatta:

I protagonisti del racconto sono in Abruzzo:

a) per scelta

b) in vacanza

c) per obbligo

7. Rispondete alle seguenti domande:

a) Perché gli uomini lasciano il paese?

....

b) Come si distinguevano i ricchi dai poveri?

....

c) Perché le donne non sono in buone condizioni fisiche?

....

d) Che vita fa la protagonista quando fuori inizia a nevicare?

....

e) Perché la gente va a consultare il professore?

....

f) Che atteggiamento ha la protagonista verso quel tempo passato?

....

2) RIFLESSIONI NARRATOLOGICHE

1. Dividete il racconto in sequenze:

....

....

....

....

....

2. Individuate quella che secondo voi rappresenta la parte più significativa che interrompe la linearità del racconto:

....

....

3. Il narratore del racconto è presente o assente?

....

....

4. Evidenziate nel racconto le sequenze narrative e quelle descrittive, indicando poi se prevalgono le une o le altre:

....

....

5. Rileggete l'inizio del racconto e la fine, indicando come cambia il coinvolgimento emotivo della narratrice:

....

....

3) RIFLESSIONI LINGUISTICHE

1. Formate dai seguenti sostantivi il relativo aggettivo:

acqua, fuoco, ferro, aria, muscolo, noia

es. neve > nevoso   vento > ventoso

....

2. Provate a spiegare la posizione, in questa frase, dell'aggettivo rispetto al sostantivo e cambiate la sua posizione spiegando la differenza semantica fra i due enunciati:
«Ma quando ci tornate alle case vostre?»

....

....

3. Ricostruite l'ordine standard dei costituenti della frase:
«Era un esilio il nostro.»

....

4. Sottolineate nel testo i passati remoti e individuate gli infiniti corrispondenti.

....

....

5. Provate a formare altri contrari con il prefisso "s":
«Quasi tutte avevano la bocca sdentata ...»

....

6. Provate a spiegare il significato denotativo e connotativo dei seguenti sostantivi:
inverno, esilio, neve, fuoco, sogno.

....

....

....

....

....

....

7. Formate una frase con ognuna delle seguenti espressioni:
a) senza tregua
b) su per giù
c) per un pezzo
d) mettere a fuoco
e) a poco a poco
f) a braccetto

....

....

....

....

....

....

4) ATTIVITÀ DI PRODUZIONE ORALE E/O SCRITTA

1. Indicate la differenza tra la società contadina abruzzese e quella del vostro paese:

....

....

....

2. Raccontate una breve favola del vostro paese:

3. Provate ad immaginare che cosa accadrà alla narratrice dopo questo soggiorno:

4. In questo brano si parla dell'inverno e delle sensazioni ad esso legate. Provate a spiegare le vostre sensazioni durante il passaggio delle stagioni. Indicate a tale proposito il significato della parola *meteoropatico*, aiutandovi, se necessario, con il dizionario:

....

....

....

5. Avete mai provato ad essere costretti a stare lontano da casa?

....

....

6. È facile accettare le abitudini degli altri?

....

....

7. È possibile rendersi conto dei momenti belli mentre si vivono?

....

....

8. Perché la gente è costretta all'esilio e che differenza può esserci tra andare in esilio ed emigrare?

....

....

L'UNIVERSO COME SPECCHIO

da *Palomar* di Italo Calvino

Il signor Palomar soffre molto della sua difficoltà di rapporti col prossimo. Invidia le persone che hanno il dono di trovare sempre la cosa giusta da dire, il modo giusto di rivolgersi a ciascuno; che sono a loro agio con chiunque si trovino e che mettono gli altri a loro agio; che muovendosi con leggerezza tra la gente capiscono subito quando devono difendersi e prendere le loro distanze e quando guadagnarsi la simpatia e la confidenza; che danno il meglio di sé nel rapporto con gli altri e invogliano gli altri a dare il loro meglio; che sanno subito quale conto fare d'una persona in rapporto a sé e in assoluto.

«Queste doti, – pensa Palomar col rimpianto di chi ne è privo, – sono concesse a chi vive in armonia col mondo. A costoro riesce naturale stabilire un accordo non solo con le persone ma pure con le cose, con i luoghi, le situazioni, le occasioni, con lo scorrere delle costellazioni nel firmamento, con l'aggregarsi degli atomi nelle molecole. [...] A chi è amico dell'universo, l'universo è amico. Potessi mai, – sospira Palomar, – essere anch'io così!»

Decide di provare a imitarli. Tutti i suoi sforzi, d'ora in poi, saranno tesi a raggiungere un'armonia tanto col genere umano a lui prossimo quanto con la spirale più lontana del sistema delle galassie. Per cominciare, dato che col suo prossimo ha troppi problemi, Palomar cercherà di migliorare i suoi rapporti con l'universo. Allontana e riduce al minimo la frequentazione dei suoi simili; s'abitua a fare il vuoto nella sua mente, **espellendone** tutte le presenze indiscrete; osserva il cielo nelle notti stellate; legge libri d'astronomia; si familiarizza con l'idea degli spazi siderei finché questa non diventa una **suppellettile permanente** del suo arredamento mentale. [...] L'idea che tutto nell'universo si collega e si risponde non l'abbandona mai: una variazione di luminosità nella Nebulosa del Granchio o l'**addensarsi** d'un ammasso globulare in Andromeda non possono non avere una qualche influenza sul funzionamento del suo giradischi o sulla freschezza delle foglie di crescione nel suo piatto di insalata.

Quando è convinto d'aver esattamente delimitato il proprio posto in mezzo alla **muta** distesa delle cose **galleggianti** nel vuoto, tra il pulviscolo d'eventi attuali o possibili che **si libra** nello spazio e nel tempo, Palomar decide che è venuto il momento di applicare questa saggezza cosmica al rapporto coi suoi simili.

S'affretta a tornare in società, riallaccia conoscenze, amicizie, rapporti d'affari, sottopone a un attento esame di coscienza i suoi legami e i suoi affetti. S'aspetta di vedere estendersi davanti a sé un paesaggio umano finalmente netto, chiaro, senza nebbie, in cui egli potrà muoversi con gesti precisi e sicuri. È così? Nient'affatto.

Comincia a impelagarsi in un garbuglio di malintesi, **vacillazioni**, **compromessi**, atti mancati; le questioni più **futili** diventano angoscianti, le più gravi s'appiattiscono; ogni cosa che lui dice o fa risulta **maldestra**, **stonata**, **irresoluta**. Cos'è che non funziona?

Questo: contemplando gli astri lui s'è abituato a considerarsi un punto anonimo e incorporeo, quasi a dimenticarsi d'esistere; per trattare adesso con gli esseri umani non può fare a meno di mettere in gioco se stesso, e il suo se stesso lui non sa più dove si trova [...] uno prima ancora di mettersi a osservare gli altri dovrebbe sapere bene chi è lui. La conoscenza del prossimo ha questo di speciale: passa necessariamente attraverso la conoscenza di se stesso; ed è proprio questa che manca a Palomar. [...] La strada che gli resta aperta è questa: si dedicherà d'ora in poi alla conoscenza di se stesso, esplorerà la propria geografia interiore, traccerà il diagramma dei moti del suo cammino, ne ricaverà le formule e i teoremi, punterà il suo telescopio sulle orbite tracciate dal corso della sua vita anziché su quelle delle costellazioni. «Non possiamo conoscere nulla d'esterno a noi scavalcando se stessi, – egli pensa ora, – l'universo è lo specchio in cui possiamo contemplare solo ciò che abbiamo imparato a conoscere in noi».

Ed ecco che anche questa nuova fase del suo itinerario alla ricerca della saggezza si compie. Finalmente egli potrà spaziare con lo sguardo dentro di sé. Cosa vedrà?

[...] Apre gli occhi: quel che appare al suo sguardo gli sembra d'averlo già visto tutti i giorni: vie piene di gente che ha fretta e **si fa largo a gomitate** senza guardarsi in faccia, tra alte mura spigolose e scrostate. In fondo, il cielo stellato sprizza bagliori intermittenti come un meccanismo inceppato, che sussulta e cigola, in tutte le sue giunture non oliate, **avamposti** d'un universo **pericolante**, contorto, senza **requie** come lui.

GLOSSARIO

addensarsi: ammassarsi, ammucchiarsi

avamposti: posizioni avanzate di uno schieramento militare. Anticipazioni di qualcosa che si manifesterà successivamente

compromessi: accordi raggiunti attraverso reciproche concessioni

concesse: (concedere) assegnare, dare, attribuire

espellendone: (espellere) allontanare, scacciare

futili: banali, di scarsa importanza

galleggianti: (galleggiare) mantenersi in superficie in un liquido, rimanere sospeso ondeggiando o fluttuando nell'aria

invogliano: (invogliare) stimolare, incoraggiare

irresoluta: priva di risoluzione, indecisa

maldestra: goffa, impacciata, inesperta

muta: che non parla

permanente: stabile, fisso

pericolante: che sta per crollare, non sicuro, non saldo

requie: riposo

si fa largo a gomitate: (farsi largo a gomitate), frase idiomatica che indica l'atteggiamento di chi, pur di raggiungere i propri scopi, non tiene conto degli altri

si libra: (librarsi) mantenersi in equilibrio volando

stonata: fuori tono (in campo musicale). Qui si intende confuso, non adeguato, non in sintonia

suppellettile: insieme degli oggetti che fanno parte dell'arredo della casa, dell'ufficio, della scuola. In questo caso si riferisce al bagaglio di conoscenze e nozioni

vacillazioni: mancanza di stabilità

ATTIVITÀ DI COMPRENSIONE

Dopo aver letto il racconto riordinate le sequenze:

a) Palomar decide di concentrarsi su se stesso per conoscersi. Questa è per lui una operazione nuova perché, non amandosi, non si è mai guardato dentro.

b) Palomar conclude il suo percorso constatando che il suo ingranaggio interiore è inceppato come quello dell'universo.

c) Dopo aver cercato l'armonia universale torna tra "gli uomini" per vedere se riesce a comunicare con loro, ma si rende conto che i suoi problemi sono sempre gli stessi, tutto quello che fa è maldestro e sbagliato.

d) Palomar capisce che contemplando il cielo ha perso se stesso; ma nel rapporto con gli altri è fondamentale avere coscienza di sé, sapere quale posto si occupa.

e) Palomar ha problemi di comunicazione con il prossimo.

f) Palomar pensa che i suoi problemi di incomunicabilità dipendano dal fatto che lui non è in armonia con l'universo; comincia quindi a studiare i corpi celesti per entrare in sintonia con essi.

a) .... b) .... c) .... d) .... e) .... f) ....

RIFLESSIONI NARRATOLOGICHE

1. Il racconto è scritto in terza persona, il narratore è esterno. Immaginate di essere il signor Palomar e trasformate il testo in prima persona, dall'inizio fino a "... chi è amico dell'universo, l'universo è amico":

....

....

2. Dividete il testo in sequenze e date un titolo ad ogni sequenza:

....

....

....

....

....

....

....

....

....

....

....

....

....

3 RIFLESSIONI LINGUISTICHE

1. Sottolineate i termini e le frasi tratte dal linguaggio specialistico:

2. A coppie. Il termine "raggio" ha carattere polisemico. Cercatelo nel dizionario e spiegate il significato dei suoi usi (es.: raggio di luce, raggio del cerchio, raggio della bicicletta, raggio d'azione...):

3. Nel testo compare la parola "giradischi" che è un termine composto da verbo + sostantivo. Conoscete altri composti? Fate qualche esempio:

4. Nel testo ci sono le seguenti espressioni:
- dare il meglio di sé
- fare a meno di qualcuno/qualcosa
- mettere in gioco se stesso

Costruite delle frasi in cui potete inserirle.

5. Trovate il participio passato dei seguenti verbi presenti nel testo:
rivolgersi, concedere, stabilire, ridurre, espellere, collegarsi, sottoporre, impelagarsi, apparire, estendersi.

6. Trovate i sostantivi che derivano dai seguenti verbi:
   concedere, stabilire, ridurre, espellere, collegare, apparire, estendere.

   ....

   ....

7. Conoscete i contrari dei seguenti aggettivi?
   maldestro, stonato, indiscreto, netto, preciso, anonimo, spigoloso, pericolante.

   ....

   ....

ATTIVITÀ DI PRODUZIONE ORALE E/O SCRITTA

1. Cosa è per voi la sicurezza? Chi sono per voi "i sicuri"?
2. Descrivetevi scegliendo un registro che può essere comico / tragico / serio:
3. Immaginate un'altra fine del racconto.
4. Un compagno interpreta il signor Palomar, un altro, un ipotetico interlocutore con cui instaurare un dialogo. Preparate una serie di domande che vi permettano di conoscervi l'uno con l'altro (interessi, passioni, hobby, ecc.).
   Dopo aver parlato con il vostro compagno esponete alla classe cosa è emerso dal vostro dialogo.
5. Qual è, secondo voi, il messaggio del racconto?
6. A coppie. Fate un ritratto psicologico del signor Palomar.

INVITI SUPERFLUI

da *Sessanta racconti* di Dino Buzzati

Vorrei che tu venissi da me in una sera d'inverno e, stretti insieme dietro i vetri, guardando la solitudine delle strade buie e gelate, ricordassimo gli inverni delle favole, dove si visse insieme senza saperlo. Per gli stessi sentieri fatati passammo infatti tu ed io, con passi timidi, insieme andammo attraverso le foreste piene di lupi [...]. Insieme, senza saperlo, di là forse guardammo entrambi verso la vita misteriosa, che ci aspettava. [...] «Ti ricordi?» ci diremo l'un l'altro, stringendoci dolcemente, nella calda stanza, e tu mi sorriderai fiduciosa mentre fuori daran tetro suono le lamiere scosse dal vento. Ma tu – ora mi ricordo – non conosci le favole antiche dei re senza nome, degli orchi e dei giardini stregati. [...] Dietro i vetri nella sera d'inverno, probabilmente noi rimarremmo muti, io perdendomi nelle favole morte, tu in altre cure a me ignote. Io chiederei «Ti ricordi?», ma tu non ricorderesti.

Vorrei con te passeggiare, un giorno di primavera, col cielo grigio e ancora qualche vecchia foglia dell'anno prima trascinata per le strade dal vento, nei quartieri della periferia; e che fosse domenica. In tali contrade sorgono spesso pensieri malinconici e grandi; e in date ore vaga la poesia, congiungendo i cuori di quelli che si vogliono bene. Nascono inoltre speranze che non si sanno dire [...]. Ci terremo semplicemente per mano e andremo con passo leggero dicendo cose insensate, stupide e care. [...] E [...] taceremo, sempre tenendoci per mano, poiché le anime si parleranno senza parola. Ma tu – adesso mi ricordo – mai mi dicesti cose insensate, stupide e care. Né puoi quindi amare quelle domeniche che dico, né l'anima tua sa parlare alla mia in silenzio [...]. Tu preferisci le luci, la folla, gli uomini che ti guardano, le vie dove dicono si possa incontrar la fortuna. Tu sei diversa da me e se venissi quel giorno a passeggiare, ti lamenteresti di essere stanca; solo questo e nient'altro.

Vorrei anche andare con te d'estate in una valle solitaria [...]. Tu diresti «Che bello!». Niente altro diresti perché noi saremmo felici; avendo il nostro corpo perduto il peso degli anni, le anime divenute fresche, come se fossero nate allora.
Ma tu – ora che ci penso – tu ti guarderesti attorno senza capire, ho paura, e ti fermeresti preoccupata a esaminare una calza, mi chiederesti un'altra sigaretta, impaziente di fare ritorno. E non diresti «Che bello!», ma altre povere cose che a me non importano. Perché purtroppo sei fatta così. E non saremmo neppure per un istante felici.

Vorrei pure – lasciami dire – vorrei con te sottobraccio attraversare le grandi vie della città in un tramonto di novembre, quando il cielo è di puro cristallo. [...] Noi manderemo senza saperlo luce di gioia e tutti saran costretti a guardarci, non per invidia e malanimo; bensì sorridendo un poco, con sentimento di bontà, per via della sera che guarisce le debolezze dell'uomo. Ma tu – lo capisco bene – invece di guardare il cielo di cristallo [...] vorrai fermarti a guardare le vetrine, gli ori, le ricchezze, le sete, quelle cose meschine. E non [...] udiresti quella specie di musica, né capiresti perché la gente ci guardi con gli occhi buoni. Tu penseresti al tuo povero domani [...]. Ed io sarei solo.

È inutile. Forse tutte queste sono sciocchezze, e tu migliore di me, non presumendo tanto dalla vita. Forse hai ragione tu e sarebbe stupido tentare. Ma almeno, questo sì almeno, vorrei rivederti. Sia quel che sia, noi staremo insieme in qualche modo, e troveremo la gioia. Non importa se di giorno o di notte, d'estate o d'autunno, in un paese sconosciuto, in una casa disadorna, in una squallida locanda. Mi basterà averti vicina. [...] Avrò pazienza se non capirai ciò che ti dico, se parlerai di fatti a me strani, se ti lamenterai dei vestiti vecchi e dei soldi. Non ci saranno la cosiddetta poesia, le comuni speranze, le mestizie così amiche all'amore. Ma io ti avrò vicina. E riusciremo, vedrai, a essere abbastanza felici, con molta semplicità, uomo con donna solamente, come suole accadere in ogni parte del mondo.

Ma tu – adesso ci penso – sei troppo lontana, centinaia e centinaia di chilometri difficili a valicare. Tu sei dentro a una vita che ignoro, e gli altri uomini ti sono accanto, a cui probabilmente sorridi, come a me nei tempi passati. Ed è bastato poco tempo perché ti dimenticassi di me. Probabilmente non riesci più a ricordare il mio nome. Io sono ormai uscito da te, confuso fra le innumerevoli ombre. Eppure non so pensare che a te, e mi piace dirti queste cose.

GLOSSARIO

confuso: perso, indistinto, sfocato

congiungendo: (congiungere) unire

contrade: quartieri

cure: preoccupazioni

disadorna: spoglia, semplice

fatati: magici, affascinanti

lamiere: lastre metalliche

locanda: pensione, modesto albergo

malanimo: cattiveria, inimicizia

meschine: mediocri, ridicole

mestizie: tristezze, malinconie

presumendo: (presumere) immaginare, supporre

sentieri: viottoli segnati su terreno campestre o montano dal passaggio di uomini e animali

suole: (solere) avere per abitudine, essere solito svolgere una determinata azione

squallida: disadorna, scialba, triste

taceremo: (tacere) non parlare

tetro: lugubre, macabro, pauroso

trascinata: (trascinare) portare

vaga: (vagare) aggirarsi in senso figurato, in questo caso

valicare: passare, oltrepassare, superare

ATTIVITÀ DI COMPRENSIONE

1. Il racconto può essere diviso in 5 parti, una per ogni stagione, più una sequenza a conclusione. Individuatele:

a) ....

b) ....

c) ....

d) ....

e) ....

2. All'interno di ogni sezione lo scrittore procede in maniera argomentativa. Propone prima una tesi, poi una antitesi, quindi una sintesi. Individuate in ogni sezione le tre parti sopraindicate:

....

....

....

....

....

....

....

....

....

....

....

....

....

....

....

....

....

....

....

....

....

3. Quali funzioni hanno, secondo voi, le seguenti frasi?

ma tu – ora mi ricordo
ma tu – adesso mi ricordo
ma tu – ora che ci penso

ma tu – lo capisco bene
ma tu – adesso ci penso

....

....

....

2 RIFLESSIONI NARRATOLOGICHE

1. Il narratore è interno ed esprime aspettative e desideri che puntualmente non si realizzano. Quali?

....

....

2. Provate a immaginare quale tipo di donna possa essere quella di cui parla lo scrittore.

....

....

3. Trovate all'interno di ogni sezione le parti descrittive.

....

....

....

....

....

3 RIFLESSIONI LINGUISTICHE

1. Trasformate la prima frase, dalla riga 1 alla riga 3, al tempo passato:

....

....

2. Individuate gli aggettivi nelle parti descrittive di ogni sezione:

....

....

3. In ogni sezione riflettete sull'uso dei verbi al modo condizionale. Perché, secondo voi, questa scelta?

....

....

4. Completate il seguente testo:

Caro Paolo,

ripenso .... nostalgia .... tempi passati insieme. Mi rimangono .... colori, ... sapori, ... odori. .... improvviso sei andato via. .... almeno il modo di capire. Non .... hai dato il tempo e .... hai lasciato sola a ricomporre un puzzle .... pezzi che non combaciano ...

Francesca

4 ATTIVITÀ DI PRODUZIONE ORALE E/O SCRITTA

1. A coppie. Scrivete un ipotetico dialogo tra l'autore e la donna, quindi drammatizzatelo:

....

....

....

....

2. Individualmente prima scrivete un breve riassunto del racconto poi cambiate il finale. Proponete la vostra nuova versione del testo ai compagni:

....

....

....

....

....

....

3. Prendendo spunto dal racconto, scrivete una lettera/racconto a qualcuno con cui vorreste ristabilire un rapporto interrotto:

....

....

....

....

....

....

....

....

....

IL TACCHINO DI NATALE

da *Racconti Surrealisti e Satirici* di Alberto Moravia

Quando il giorno di Natale, il commerciante Policarpi Curcio si sentì dire per telefono dalla moglie che rincasasse puntualmente perché c'era il tacchino, si rallegrò molto giacchè, con gli anni, all'infuori di quella della gola non gli era rimasta altra passione. Grande però fu la sua meraviglia allorché, giunto a casa verso il mezzogiorno, 5 trovò il tacchino non già in cucina, infilato nello spiedo e in atto di girare lentamente sopra un fuoco di carbonella, bensì in salotto [...].

Il tacchino era nobile, ricco e influente; un buon partito insomma; e già mostrava un interesse particolare e visibilissimo per Rosetta; voleva forse egli, con le sue stupide osservazioni, mandare a monte il matrimonio che già pareva profilarsi? [...]

10 Il Curcio era soprattutto irritato dall'aria di superiorità e di accondiscendenza che assumeva il tacchino ogni volta che gli rivolgeva la parola. Il Curcio sapeva bene di venire, come si dice, dal nulla, e che i suoi modi non erano così levigati come la moglie e la figlia Rosetta avrebbero desiderato. Ma lui aveva lavorato tutta la vita e aveva guadagnato dei bei baiocchi, questo era il motivo per il quale non aveva potuto curare 15 la propria educazione. Il tacchino invece, con tutto il suo sussiego, non avrebbe potu-

to dire lo stesso. Belle maniere, certo, aria da gran signore, ma in fin dei conti, il Curcio l'avrebbe giurato, poca sostanza. [...]

Partito il tacchino ci fu una discussione violentissima tra il Curcio e la moglie. Il Curcio diceva che era l'ora di finirla con questi elegantoni sofisticati e snobistici i quali poi, si sa, nascondono sotto la loro superbia una quantità di magagne. Lui aveva lavorato tutta la vita e non si sentiva affatto inferiore a tutti i tacchini di questo mondo [...].

Intanto, però, pur continuando a corteggiare Rosetta, il tacchino non si decideva a chiederne la mano. Anche la madre cominciava ad essere inquieta. Se era un tacchino serio, ella disse alla fine alla figlia, doveva presentarsi ai genitori e chiederla in moglie. Rosetta a queste parole guardò spaventata la madre e non disse nulla. In realtà il tacchino era riuscito fin dai primi giorni a strappare gli estremi favori alla povera ragazza. La quale ora, non meno della madre, era ansiosa che il tacchino regolarizzasse, come si dice, la sua posizione.

Uno di quei giorni Rosetta accolse il tacchino nel salotto con un fiume di lagrime. Ella non poteva più vivere in questo modo, balbettava tra i singhiozzi, mentendo a se stessa e ai genitori [...].

Quella notte il Curcio che soffriva d'insonnia si levò per andare a prendere una boccata d'aria alla finestra [...]. Affacciatosi alla finestra senza far rumore né accendere lumi per non destare la moglie, la prima cosa che il Curcio vide fu l'ombra gigantesca del tacchino, eretta la testa dal collo gonfio, il becco bitorzoluto rivolto in alto, riflessa chiaramente sulla parete della villa inondata di bianca luce lunare. Egli abbassò gli occhi e fece appena in tempo a scorgere la figlia capitombolare da una finestra del primo piano tra le braccia del tacchino. Il quale, caricatala sulle spalle come un fagotto con una forza che nessuno avrebbe sospettato, rapidamente se la portava via verso il cancello [...].

Il giorno dopo il Curcio andò a sporgere regolare denunzia per rapimento. Ma nei commissariati nessuno gli credette. Un tacchino, dicevano, come è possibile che un tacchino abbia rapito vostra figlia. I tacchini stanno nella stia. Del resto la figlia era maggiorenne e non c'era nulla da fare.

Ma saltarono fuori le magagne del tacchino, egualmente. Si scoprì che era sposato e con prole. Si scoprì ancora che non era né nobile né ricco, bensì soltanto un ex cameriere scacciato da più luoghi per furto. Il Curcio trionfava seppure pieno di bile. La moglie non faceva che piangere e invocava la figlia.

Andò a finire con il solito ricatto; e il Curcio dovette sborsare molti di quei suoi "bei baiocchi" così faticosamente guadagnati per riavere in casa la figlia disonorata. Questo avvenne in dicembre. Il giorno di Natale la moglie telefonò al Curcio che non ritardasse perché c'era il tacchino; soggiunse a scanso di equivoci che si trattava di persona molto seria che dimostrava una visibile inclinazione per Rosetta. Non era, 55 insomma, un tacchino come quello dell'anno scorso, di questo ci si poteva fidare. «Ecco come sono le donne», pensò il Curcio. Ma si ripromise questa volta di spalancare bene gli occhi. E di non lasciarsi abbagliare dalle false apparenze e dai vani discorsi di qualsiasi anche altolocato tacchino o gallinaccio.

GLOSSARIO

a scanso di equivoci: per evitare fraintendimenti

abbagliare: affascinare, sorprendere

accondiscendenza: benevolenza, cortesia

altolocato: con elevato grado sociale

baiocchi: soldi, denaro

balbettava: (balbettare) parlare a stento

bitorzoluto: pieno di rigonfiamenti

buon partito: persona rispetto alla quale si valuta, da un punto di vista sociale o economico, l'opportunità di un matrimonio

capitombolare: cadere a testa in giù

carbonella: carbone di legna in piccoli pezzi

chiederla in moglie: (chiedere in moglie) sposare

chiederne la mano: (chiedere la mano) chiedere una donna in matrimonio

commissariati: uffici dove lavorano le autorità di polizia

corteggiare: dedicare attenzioni e gentilezze a una persona per conquistarne l'amore

destare: svegliare

fagotto: fardello, qualcosa di informe e voluminoso

gallinaccio: tacchino considerato in modo spregiativo

in fin dei conti: alla fine, comunque

levigati: gentili, affinati

magagne: vizi, difetti

mandare a monte: annullare

pieno di bile: arrabbiato (la bile è un liquido prodotto dal fegato)

profilarsi: prospettarsi, apparire prevedibile

prole: figli

sborsare: pagare una notevole somma di denaro

scacciato: (scacciare) mandare via con determinazione

snobistici: che ostentano atteggiamenti superiori e sprezzanti

spalancare bene gli occhi: esprimere meraviglia o paura. In questo caso, fare più attenzione

spiedo: asta di ferro su cui si infilano carni, o pesce da far arrostire sul fuoco

sporgere regolare denunzia: dichiarare alle autorità competenti un atto illecito

stia: gabbia dove stanno i polli o i tacchini

strappare gli estremi favori: diventare amante

sussiego: supponenza, atteggiamento sostenuto

venire dal nulla: essere di umili origini

ATTIVITÀ DI COMPRENSIONE

Abbinate alle domande le risposte adeguate:

1. Che cosa non sopporta il Curcio del tacchino? ☐
2. Quali sono le reazioni di Rosetta nei riguardi dei genitori e del tacchino? ☐
3. Che cosa fa il Curcio dopo il rapimento della figlia? ☐

a) È ansiosa di regolarizzare la sua posizione, piange e si dispera perché i genitori non capiscono la sua vicenda e il tacchino non si decide a sposarla.
b) Il suo comportamento altezzoso e la sua superficialità.
c) Va a sporgere denunzia presso il commissariato e poi paga ugualmente il riscatto per riavere la figlia.

2 RIFLESSIONI NARRATOLOGICHE

1. Descrivete i quattro protagonisti del racconto:

....

....

....

....

2. Indicate dove avviene nella storia un colpo di scena che cambia lo svolgersi della vicenda:

....

....

3. Individuate le sequenze descrittive relative ad alcuni aspetti caratteriali dei protagonisti:

....

....

4. Individuate gli elementi surrealistici e satirici:

....

....

5. Cercate nel racconto alcune sequenze che contengono il discorso indiretto libero:

....

....

....

3 RIFLESSIONI LINGUISTICHE

1. Sostituite i seguenti connettivi con altri elementi che abbiano lo stesso valore semantico:

– giacché ....

– allorché ....

– bensì ....

– insomma ....

– certo ....

2. Cambiate l'ordine alterato di queste frasi con una sequenza più lineare:

«Grande però fu la sua meraviglia»;«voleva forse egli, con le sue stupide affermazioni, mandare a monte il matrimonio?»

....

....

3. Trasformate i seguenti participi passati in forme verbali coniugate:

partito il tacchino ....

affacciatosi alla finestra ....

caricatala ....

scacciato da più luoghi ....

4. Nel testo compaiono i pronomi personali "egli" ed "ella": indicate qual è la scelta stilistica dell'autore alla base di tale uso.

....

....

5. Provate a spiegare le seguenti espressioni presenti nel testo:

mandare a monte il matrimonio ....

fiume di lagrime ....

pieno di bile ....

6. Individuate il termine più adatto nel brano seguente:

I giorni **(1)** .... , nonostante l'antipatia **(2)** .... e visibile del Curcio, il tacchino **(3)** .... addirittura nella casa. Veniva a pranzo; e poi, andato in salotto con la figlia, vi rimaneva fino all'ora di cena. I due erano ormai, disse la moglie al Curcio, fidanzati. **(4)** .... , per motivi di famiglia, il tacchino si opponesse a che si facesse per ora l'annunzio ufficiale. «Bel genero», brontolava il Curcio, «datemi un brav'uomo lavoratore, semplice, di buon cuore, ma un tacchino ... ». Il Curcio, **(5)** .... , poteva vedere, attraverso i vetri dell'uscio del salotto, la **(6)** .... testa della figlia accanto a quella vana, feroce e stupida del tacchino. Egli pensava che forse quelle manine così bianche e piccole accarezzavano quei rossi e **(7)** .... barbigli e la sua antipatia cresceva.

1. (a) seguenti	(b) susseguenti	(c) inseguenti
2. (a) decrescente	(b) crescente	(c) cresciuta
3. (a) si insediò	(b) si sedette	(c) si insidiò
4. (a) Siccome	(b) Purché	(c) Sebbene
5. (a) accasandosi	(b) rincasando	(c) accasatosi
6. (a) viziata	(b) vizza	(c) vezzosa
7. (a) rigati	(b) rosati	(c) rugosi

4 ATTIVITÀ DI PRODUZIONE ORALE E/O SCRITTA:

1. Quali sono le vostre opinioni nei confronti del matrimonio?

....

....

....

2. Quali sono, nei vostri paesi, le tradizioni legate al fidanzamento e al matrimonio?

....

....

....

3. La posizione sociale può influire nel rapporto d'amore?

....

....

4. Quanto potrebbe influire il giudizio dei vostri familiari o amici nelle vostre scelte sentimentali?

....

....

5. A gruppi: che cosa fareste per amore?

....

....

....

....

SILENZIO

da *Le piccole virtù* di Natalia Ginzburg

[...] Abbiamo cominciato a tacere da ragazzi, a tavola, di fronte ai nostri genitori che ci parlavano ancora con quelle vecchie parole sanguinose e pesanti. Noi stavamo zitti. Stavamo zitti per protesta e per sdegno. Stavamo zitti per far capire ai nostri genitori che quelle loro grosse parole non ci servivano più. Noi ne avevamo in serbo delle altre. Stavamo zitti, pieni di fiducia nelle nostre nuove parole. Avremmo speso quelle nostre nuove parole più tardi, con gente che le avrebbe capite. Eravamo ricchi del nostro silenzio. Adesso ne siamo vergognosi e disperati, e ne sappiamo tutta la miseria. Non ce ne siamo liberati mai più. Quelle grosse parole vecchie, che servivano ai nostri genitori, sono moneta fuori corso e non l'accetta nessuno. E le nuove parole, ci siamo accorti che non hanno valore, non ci si compra nulla. Non servono a stabilire rapporti, sono acquatiche, fredde, infeconde. Non ci servono a scrivere dei libri, non a tener legata a noi una persona cara, non a salvare un amico.

Fra i vizi della nostra epoca, è noto che c'è il senso della colpa: se ne parla e se ne scrive molto. Tutti ne soffriamo. Ci sentiamo coinvolti in una faccenda di giorno in giorno più sudicia. Si è detto anche del senso di panico: anche di questo, tutti ne soffriamo. Il senso di panico nasce dal senso di colpa. E chi si sente spaventato e colpevole, tace.

Del senso di colpa, del senso di panico, del silenzio, ciascuno cerca a modo suo di guarire. Alcuni vanno a fare dei viaggi. Nell'ansia di veder paesi nuovi, gente diversa
20 c'è la speranza di lasciare dietro a sé i propri torbidi fantasmi; c'è la segreta speranza di scoprire in qualche punto della terra la persona che potrà parlare con noi. Alcuni s'ubriacano, per dimenticare i propri torbidi fantasmi e per parlare. E ci sono poi tutte le cose che si fanno per non dover parlare: alcuni passano le serate addormentati in una sala di proiezioni, con al fianco la donna alla quale, così, non sono tenuti a dover par-
25 lare; alcuni imparano a giocare a bridge; alcuni fanno l'amore, che si può fare anche senza parole. Di solito si dice che queste cose si fanno per *ingannare il tempo*: in verità si fanno per ingannare il silenzio.

Esistono due specie di silenzio: il silenzio con se stessi e il silenzio con gli altri. L'una e l'altra forma ci fanno egualmente soffrire. Il silenzio con noi stessi è domina-
30 to da una violenta antipatia che ci è presa per il nostro stesso essere, dal disprezzo per la nostra stessa anima, così vile da non meritare le sia detto nulla. [...] È chiaro che non abbiamo nessun diritto di odiare la nostra stessa persona, nessun diritto di tacere i nostri pensieri alla nostra anima.

Il mezzo più diffuso per liberarsi del silenzio, è andare a farsi psicanalizzare.
35 Parlare incessantemente di se stesso a una persona che ascolta, che è pagata per ascoltare: mettere a nudo le radici del proprio silenzio: sì, questo forse può dare un momentaneo sollievo. Ma il silenzio è universale e profondo. Il silenzio, lo ritroviamo subito appena usciti dalla porta della stanza dove quella persona, pagata per ascoltare, ascoltava. Ci ricaschiamo subito dentro. Allora quel sollievo di un'ora ci sembra
40 superficiale e banale. Il silenzio è sulla terra: che ne guarisca uno solo di noi, per un'ora, non serve alla causa comune.

[...] Il silenzio dev'essere contemplato, e giudicato, in sede morale. Perché il silenzio, come l'accidia e come la lussuria, è un peccato. Il fatto che sia un peccato comune a tutti i nostri simili nella nostra epoca, che sia il frutto amaro della nostra epoca mal-
45 sana, non ci esime dal dovere di riconoscerne la natura, di chiamarlo col suo vero nome.

GLOSSARIO

accidia: stato di inerzia, malinconica e passiva indifferenza verso ogni tipo di azione

avevamo in serbo: (avere in serbo) mettere da parte, conservare

banale: assolutamente comune, privo di originalità e di significato particolare

disprezzo: totale mancanza di stima, di considerazione verso qualcosa o qualcuno

esime: (esimere) liberare

incessantemente: senza interruzione, ininterrottamente

infeconde: sterili

ingannare il tempo: trascorrere il tempo cercando di non annoiarsi

lussuria: brama sfrenata di godimenti carnali, sessuali

malsana: che ha salute scarsa, non salubre

mettere a nudo: rivelare interamente

panico: forte timore improvviso

psicanalizzare: sottoporre a terapia psicanalitica

ricaschiamo: (ricascare) cadere di nuovo

sdegno: sentimento di indignazione, di ira per ciò che sembra di poco conto

tener(e) legata: unire, tenere insieme

torbidi: che mancano di chiarezza o limpidezza

ATTIVITÀ DI COMPRENSIONE

1. Secondo la scrittrice quando e perché stavamo in silenzio?

....

....

2. Che cosa fanno i protagonisti per ingannare il tempo?

....

....

3. Quanti tipi di silenzio esistono secondo la scrittrice e quali sono le differenze?

....

....

4. Che cosa significa per la scrittrice “farsi psicanalizzare”?

....

....

5. Perché il silenzio è considerato un peccato dalla scrittrice?

....

....

2 RIFLESSIONI NARRATOLOGICHE

1. In quali passi notiamo la presenza del narratore interno al racconto?

....

....

....

2. Secondo voi in questo racconto si possono ritrovare sequenze di un testo argomentativo? Se sì, quali?

....

....

....

3 RIFLESSIONI LINGUISTICHE

1. Nel testo sono presenti molte coppie di aggettivi. Per le seguenti trovate delle coppie di sinonimi:

sanguinose e pesanti ....

vergognosi e disperati ....

spaventato e colpevole ....

universale e profondo ....

superficiale e banale ....

2. Provate a spiegare il significato delle seguenti metafore:

ricchi del nostro silenzio ....

sono moneta fuori corso ....

3. Nel testo si parla sia di parole che di silenzio. Provate a scrivere alcuni verbi che si riferiscono alla dimensione del parlato e a quella dell'ascolto:

....

....

4. Trasformate il brano dal secondo capoverso in un nuovo periodo sostituendo la punteggiatura esistente con connettivi e frasi subordinate.
«Fra i vizi della nostra epoca ... colpevole, tace».

....

....

....

....

5. Cloze: inserite nel seguente testo le parole mancanti:
Esistono due specie di ....: il silenzio con se stessi e il silenzio con .... L'una e l'altra .... ci fanno egualmente soffrire. Il silenzio con .... è dominato da una violenta antipatia che ci è presa per il nostro stesso essere, dal .... per la nostra stessa anima, così .... da non meritare le sia detto nulla. È .... che non abbiamo nessun .... di odiare la nostra stessa ...., nessun diritto di tacere i nostri .... alla nostra anima.

gli altri, noi stessi, disprezzo, silenzio, forma, chiaro, diritto, vile, pensieri, persona

4 ATTIVITÀ DI PRODUZIONE ORALE E/O SCRITTA

1. Quanto è importante per voi il silenzio?

....

....

2. Preferite parlare o ascoltare?

....

....

3. Riflettete sulle considerazioni finali della scrittrice sul silenzio considerato come peccato.

....

....

4. Che cosa è per voi il "senso di colpa"?

....

....

5. Il senso di panico nasce dal senso di colpa. E chi si sente spaventato e colpevole, tace. Cosa vi suggerisce questa frase?

....

....

DEL MORDERSI LA LINGUA

da *Palomar* di Italo Calvino

In un'epoca e in un paese in cui tutti si fanno in quattro per proclamare opinioni o giudizi, il signor Palomar ha preso l'abitudine di mordersi la lingua tre volte prima di fare qualsiasi affermazione. Se al terzo morso di lingua è ancora convinto della cosa che stava per dire, la dice; se no sta zitto. Di fatto, passa settimane e mesi interi in silenzio.

Buone occasioni per tacere non mancano mai, ma si dà pure il raro caso che il signor Palomar rimpianga di non aver detto qualcosa che avrebbe potuto dire al momento opportuno. S'accorge che i fatti hanno confermato quel che lui pensava, e che se allora avesse espresso il suo pensiero forse avrebbe avuto una qualche influenza positiva, sia pur minima, su quel che è avvenuto. In questi casi il suo animo è diviso tra il compiacimento d'aver pensato giusto e un senso di colpa per la sua eccessiva riservatezza. Sentimenti entrambi così forti, che egli è tentato d'esprimerli a parole; ma dopo essersi morsicato la lingua tre volte, anzi sei, si convince che non ha nessun motivo né d'orgoglio né di rimorso [...].

Più controverso è il giudizio sul non aver manifestato il suo pensiero. In tempi di generale silenzio il conformarsi al tacere dei più è certo colpevole. In tempi in cui tutti dicono troppo, l'importante non è tanto dire la cosa giusta, che comunque si perderebbe nell'inondazione di parole, quanto il dirla partendo da premesse e implicando conseguenze che diano alla cosa detta il massimo valore. Ma allora, se il valore d'una singola affermazione sta nella continuità e coerenza del discorso in cui trova posto, la scelta possibile è solo quella tra il parlare in continuazione e il non parlare mai. Nel primo caso il signor Palomar rivelerebbe che il suo pensiero non procede in linea retta ma a zigzag, attraverso oscillazioni, smentite, correzioni, in mezzo alle quali la giustezza di quella sua affermazione si perderebbe. Quanto alla seconda alternativa, essa implica un'arte del tacere più difficile ancora dell'arte del dire.

Infatti, anche il silenzio può essere considerato un discorso, in quanto rifiuto dell'uso che altri fanno della parola; ma il senso di questo silenzio-discorso sta nelle sue interruzioni, cioè in ciò che di tanto in tanto si dice e che dà senso a ciò che si tace.

O meglio: un silenzio può servire a escludere certe parole oppure a tenerle in serbo perché possano essere usate in un'occasione migliore. Così come una parola detta adesso può risparmiarne cento domani oppure obbligare a dirne altre mille. «Ogni volta che mi mordo la lingua, – conclude mentalmente il signor Palomar, – devo pensare non solo a quel che sto per dire o non dire, ma a tutto ciò che se io dico o non dico sarà detto o non detto da me o dagli altri». Formulato questo pensiero, si morde la lingua e resta in silenzio.

GLOSSARIO

a zigzag: procedere con una serie di cambiamenti di direzione secchi e decisi

coerenza: armonia, equilibrio, logica

compiacimento: soddisfazione, piacere, gioia

conformarsi: adeguarsi, uniformarsi, attenersi

controverso: problematico, contraddittorio, incerto, discutibile

formulato: (formulare) esprimere

implicando: (implicare) comprendere, racchiudere in sé, contenere

inondazione: grande quantità

mordersi la lingua: evitare di parlare

oscillazioni: vacillazioni, mancanza di stabilità

premesse: antefatti, presupposti, introduzione

riservatezza: riserbo, discrezione, riguardo, segretezza

si dà il caso: (darsi il caso) accadere, capitare. Forma impersonale che si usa specialmente in contesti polemici

si fanno in quattro: (farsi in quattro) darsi da fare, impegnarsi molto per qualcuno/qualcosa

smentite: negazioni, rettifiche, precisazioni

tacere: non parlare, stare in silenzio

tenerle in serbo: (tenere in serbo) tenere da conto, conservare qualcosa con cura, avere cura di qualcosa

1 ATTIVITÀ DI COMPRENSIONE

1. Dopo aver letto il racconto riordinate le sequenze:

a) Il signor Palomar invece ha l'abitudine di mordersi la lingua tre volte prima di parlare.
b) Si può anche decidere di tacere, affinché le poche parole dette siano quelle giuste al momento opportuno.
c) In tempi in cui tutti dicono troppo, se si decide di parlare ci si deve preoccupare non di dire la cosa giusta, ma di inserirla in un processo continuo di premesse e conseguenze logiche che esaltino il suo valore.
d) Viviamo in un tempo e in un paese dove tutti sentono il bisogno di esprimere giudizi e opinioni.
e) Talvolta però si pente di non aver parlato.
f) Fatte queste considerazioni Palomar si morde la lingua e resta in silenzio.
g) Ogni volta che Palomar si morde la lingua pensa a tutte le possibili conseguenze del dire e non dire.

a) .... b) .... c) .... d) .... e) .... f) .... g) ....

2. Rispondete alle seguenti domande.

a) Perché il signor Palomar ha l'abitudine di mordersi la lingua?

....

....

b) Cosa rimpiange?

....

....

c) Qual è il suo stato d'animo?

....

....

d) Come conclude la sua riflessione?

....

....

2 RIFLESSIONI NARRATOLOGICHE

1. Il narratore è interno o esterno? Perché?

....

2. Qual è la conseguenza di tale scelta nella narrazione?

....

3. Attraverso quale strategia linguistica compare il protagonista?

....

3 RIFLESSIONI LINGUISTICHE

1. Utilizzate le seguenti espressioni idiomatiche presenti nel testo formulando nuove frasi:

farsi in quattro ....

mordersi la lingua ....

si dà il caso ....

tenere in serbo ....

2. Trasformate il discorso diretto, alla fine del testo, in discorso indiretto:

....

....

....

3. A coppie. Ricercate nel testo i verbi riflessivi, i verbi impersonali, le forme verbali al passivo:

....

....

....

4. A piccoli gruppi cercate sul dizionario da dove derivano i seguenti termini presenti nel testo: "riservatezza" e "giustezza". Cercate quindi i diversi significati di:

riserva, riservato, riservatezza

giusto, giustizia, giustezza

....

....

....

....

....

....

....

....

....

....

5. Trovate i nomi astratti di genere femminile che derivano dai seguenti aggettivi: bello, dolce, grande, certo, fresco, brutto, alto, basso

....

....

....

....

6. Cercate nel testo i verbi al congiuntivo e spiegate il perché di tale uso:

....

....

....

....

....

....

4 ATTIVITÀ DI PRODUZIONE ORALE E/O SCRITTA

1. Trovate un nuovo titolo al racconto:

....

2. Cosa significa comunicare?

....

....

3. Il valore del silenzio: quando può essere eloquente?

....

....

4. A gruppi. Riflettete sul problema della comunicazione in famiglia, nella coppia, tra gli amici, nell'ambiente professionale e così via.

5. Cosa significa "arte del tacere" e "arte del dire"?

....

....

6. Commentate la seguente frase presente nel testo:
«In tempi di generale silenzio il conformarsi al tacere dei più è certo colpevole».

....

....

....

....

....

7. Riflettete su questa osservazione: in italiano abbiamo molti *verba dicendi* (dire, parlare, bisbigliare, esternare, urlare, ecc) e pochi *verba recipiendi* (ascoltare, udire, sentire). È forse per sottolineare la difficoltà della comunicazione e del processo di comprensione, che gli antichi filosofi greci giustificavano nell'uomo l'esistenza di una bocca e due orecchi. È più facile, per voi, ascoltare o parlare? Cosa vi aspettate da un ipotetico interlocutore?

Racconto 10

LA PAROLA PROIBITA

da *Sessanta racconti* di Dino Buzzati

Da velati accenni, scherzi allusivi, prudenti circonlocuzioni, vaghi sussurri, mi sono fatto finalmente l'idea che in questa città, dove mi sono trasferito da tre mesi, ci sia il divieto di usare una parola. Quale? Non so. Potrebbe essere una parola strana, inconsueta, ma potrebbe trattarsi anche di un vocabolo comune, nel qual caso, per uno che fa il mio mestiere, potrebbe nascere qualche inconveniente.

Più che allarmato, incuriosito, vado dunque a interpellare Geronimo, mio amico, saggio fra quanti io conosco, che vivendo in questa città da una ventina d'anni, ne conosce vita e miracoli.

«È vero» egli mi risponde subito. «È vero. C'è da noi una parola proibita, da cui tutti girano alla larga.»

«E che parola è?»

«Vedi?» mi dice, «io so che sei una persona onesta, di te posso fidarmi. Inoltre ti sono sinceramente amico. Con tutto questo, credimi, meglio che non te la dica. Ascolta: io vivo in questa città da oltre vent'anni, essa mi ha accolto, mi ha dato lavoro, mi permette una vita decorosa, non dimentichiamolo. E io? Da parte mia ne ho accettate le leggi lealmente, belle o brutte che siano. Chi mi impediva di andarmene? Tuttavia sono rimasto. Non voglio darmi le arie di filosofo, non voglio certo scimmiottare Socrate quando gli proposero la fuga di prigione, ma veramente mi ripugna contravvenire alla norma della città che mi considera suo figlio ... sia pure in una minuzia simile. Dio sa, poi, se è davvero una minuzia ...».

«Ma qui parliamo in tutta   . Qui non ci sente nessuno. Geronimo, suvvia, potresti dirmela, questa parola benedetta. Chi ti potrebbe denunciare? Io?» [...]

«[...] La proibizione della parola, per esempio, è stata una sagace iniziativa dell'autorità appunto per saggiare la maturità conformistica del popolo. Così è. Una specie di test. E il risultato è stato molto, ma molto superiore alle previsioni. Quella parola è tabù, oramai. Per quanto tu possa andarne in cerca col lumino, garantito che, qui da noi, non la incontri assolutamente più, neanche nei sottoscala. La gente si è adeguata in men che non si dica. Senza bisogno che si minacciassero denunce, multe, o carcere.» [...]

«Insomma, questa parola, hai deciso di non dirmela?»

«Figliolo mio, non devi prendertela. Renditi conto: non è per diffidenza. Se te la dicessi, mi sentirei a disagio.»

«Anche tu? Anche tu, uomo superiore, livellato alla quota della massa?»

«Così è, mio caro.» E scosse melanconicamente il capo. «Bisognerebbe essere titani per resistere alla pressione dell'ambiente.»

«E la   ? Il supremo bene! Una volta l'amavi. Pur di non perderla, qualsiasi cosa avresti dato. E adesso?» [...]

«Ma perché insisti? Se rimani qui tra noi, un bel giorno la identificherai anche tu, la parola proibita, all'improvviso, quasi senza accorgertene. Così è, figliolo mio. La assorbirai dall'aria.»

«Bene, vecchio Geronimo, sei proprio un testone. Pazienza. Vuol dire che per cavarmi la curiosità dovrò andare in biblioteca, a consultare i Testi Unici. Ci sarà a proposito una legge, no? E sarà stampata, questa legge! E dirà bene che cos'è proibito!»

«Ahi, ahi, sei rimasto in arretrato, ragioni ancora con i vecchi schemi. Non solo: ingenuo, sei. Una legge che, per proibire l'uso di una parola, la nominasse, contravverrebbe automaticamente a se stessa, sarebbe una mostruosità giuridica. È inutile che tu vada in biblioteca.» [...]

Io tento l'ultimo assalto: «Geronimo, ti prego: tanto per curiosità, oggi, qui, parlando con te, l'ho mai adoperata questa parola misteriosa? Almeno questo me lo potrai dire, non ci rimetti proprio niente.»

Il vecchio Geronimo sorride e strizza un occhio.

«L'ho adoperata, allora?»

Lui strizza ancora l'occhio.

Ma una sovrana **mestizia** improvvisamente illumina il suo volto.

«Quante volte? Non fare il prezioso, su, dimmi, quante volte?»

«Quante volte non so, guarda, parola mia d'onore. Anche se l'hai pronunciata, io udirla non potevo. Però mi è parso, ecco, che a un certo punto, ma ti giuro non mi ricordo dove, ci sia stata una pausa, un brevissimo spazio vuoto, come se tu avessi pronunciato una parola e il suono non me ne fosse giunto. Può anche darsi però che si trattasse di una involontaria sospensione, come succede sempre nei discorsi.» [...]

«Ma scusa, che scopo c'è in tutto questo? Non sarebbe un vantaggio per la città se io apprendessi qual è la parola proibita, senza che nessuno la nomini o la scriva?»

«Per adesso probabilmente no. Dai discorsi che mi hai fatto è chiaro che non sei maturo. C'è bisogno di una **iniziazione**. Insomma, non ti sei ancora conformato. Non sei ancora degno - secondo l'**ortodossia vigente** - di rispettare la legge.»

«E il pubblico, leggendo questo dialogo, non si accorgerà di niente?»

«Semplicemente vedrà uno spazio vuoto. E, semplicemente penserà: che disattenti, hanno saltato una parola.»

GLOSSARIO

accenni: allusioni, indizi, tracce

allarmato: preoccupato

allusivi: vaghi, che contengono allusioni

circonlocuzioni: discorsi che affrontano l'argomento alla lontana, in modo indiretto

contravvenire: operare in modo contrario, trasgredire, disubbidire

inconveniente: avvenimento spiacevole, contrattempo

iniziazione: avviamento a un'attività, a una disciplina particolare

interpellare: consultare qualcuno, specialmente una persona autorevole, per chiedere un consiglio

mestizia: malinconia, tristezza

minuzia: dettaglio, piccolezza, cosa di poco conto

ortodossia: insieme dei principi che costituiscono il fondamento di un sistema religioso, filosofico, politico, artistico, scientifico

ripugna: (ripugnare) provocare disgusto, avversione

sagace: acuto, scaltro, sottile, intelligente

saggiare: provare, testare

scimmiottare: imitare in modo goffo comportamenti e opinioni altrui

sottoscala: spazio chiuso o aperto situato sotto una rampa di scale

sussurri: voci sommesse, indistinte, appena percettibili

vaghi: incerti, non molto chiari

velati: leggeri, tenui, non espliciti

vigente: che è in vigore, che ha validità

ATTIVITÀ DI COMPRENSIONE

1. Il protagonista vuole conoscere la parola proibita: come risponde all'inizio il suo interlocutore?
a) viene incontro alla richiesta dell'amico
b) fa finta di niente
c) dissuade l'amico nella ricerca

2. Qual è il comportamento della gente di fronte a questa particolare proibizione?
a) si è rapidamente adeguata
b) ha scoperto l'inganno
c) conosce la parola e la diffonde

3. Che cosa vorrebbe fare il protagonista per scoprire la parola proibita?
a) interrogare la gente
b) consultare testi ufficiali
c) lasciar perdere

4. Che cosa consiglia Geronimo all'amico?
a) di non insistere nella ricerca
b) di andare in biblioteca
c) di ascoltare gli altri

2 RIFLESSIONI NARRATOLOGICHE

1. Descrivete i comportamenti del protagonista e del suo amico:

....

....

2. Il narratore è interno al racconto: da che cosa e da dove potete dedurlo?

....

....

3 RIFLESSIONI LINGUISTICHE

1. Trasformate la sequenza dal discorso diretto al discorso indiretto sia al presente che al passato.

«È vero» egli mi risponde subito. «È vero. C'è da noi una parola proibita, da cui tutti girano alla larga.»
«E che parola è?»
«Vedi?» mi dice «io so che sei una persona onesta, di te posso fidarmi. Inoltre ti sono sinceramente amico. Con tutto questo, credimi, meglio che non te la dica. Ascolta: io vivo in questa città da oltre vent'anni, essa mi ha accolto, mi ha dato lavoro, mi permette una vita decorosa, non dimentichiamolo. E io? Da parte mia ne ho accettate le leggi lealmente, belle o brutte che siano. Chi mi impediva di andarmene? Tuttavia sono rimasto. Non voglio darmi le arie di filosofo, non voglio certo scimmiottare Socrate quando gli proposero la fuga di prigione, ma veramente mi ripugna contravvenire alla norma della città che mi considera suo figlio ... sia pure in una minuzia simile. Dio sa, poi, se è davvero una minuzia ...».

....

....

....

....

....

....

....

....

....

....

2. Nel testo compare l'espressione "darmi le arie". Cercate nel dizionario altre frasi idiomatiche contenenti la parola "aria":

....

....

3. "Scimmiottare" è un verbo derivato dal sostantivo "scimmia". Trovate i significati delle seguenti espressioni che derivano dal mondo animale:
   - guardare in cagnesco ....
   - essere allupato ....
   - essere imbelvito/imbestialito ....

4. "Sottoscala" è una parola composta da un avverbio + un sostantivo. Provate a formare altri composti con i due avverbi "sotto" e "sopra" seguiti da un sostantivo:

....

....

5. Trovate verbi che intensifichino o diminuiscano il significato della parola "sussurrare" (derivato dal sostantivo "sussurro"):

....

....

4) ATTIVITÀ DI PRODUZIONE ORALE E/O SCRITTA

1. Secondo voi, qual è la parola proibita?

....

2. Fate (a gruppi) un'inchiesta sulle parole tabù e discutetene il ruolo e il valore nelle varie situazioni comunicative.

....

....

3. Esistono nella vostra cultura/lingua alcune parole tabù?

....

....

4. Uno studente esce dalla classe e al rientro dovrebbe indovinare una delle espressioni idiomatiche, o una parola particolare che gli altri studenti hanno scelto, presenti nel testo.

FACCIA DI MASCALZONE

da *Racconti romani* di Alberto Moravia

Non ricevo mai pacchi, ma uno di questi giorni voglio spedirmene uno per prendermi il gusto di andare alla posta, all'ufficio pacchi e ritirare il pacco. Perché lì, in quell'ufficio così brutto e così vecchio, tra le cataste di pacchi di ogni peso e di ogni genere, la macchie d'inchiostro, l'odore di chiuso e di segatura bagnata, lì, dico, è cominciata la mia fortuna. Non grande fortuna, intendiamoci, ma sempre meglio che distribuire pacchi. [...]

Eppure la mia fortuna, come ho detto, è cominciata proprio in quell'ufficio; e per essere più precisi è cominciata proprio da Valentina; o per meglio dire dalla sua passione per il cinema. In quell'ufficio, io brutto e con la faccia tutta nera e storta, non pensavo che a distribuire pacchi, contento di farlo, dopo qualche anno di disoccupazione. Ma Valentina, con la sua faccia bella, non era contenta e pensava al cinema. Perché ci pensasse, non lo so; forse perché ci andava spesso; e c'è gente a cui basta andare al cinema per illudersi di poterne fare. Ma era fissata; e tra noi due non si parlò mai non dico di volersi bene, quantunque fossi un po' innamorato di lei e gliel'avessi anche detto, ma neppure di uscire insieme, foss'anche per sedersi in un caffè. [...]

Uno di quei giorni si affacciò allo sportello una testolina bionda, azzimata, con una cravatta a farfalla sotto il mento. Valentina prese la bolletta e si avviò pian piano verso gli scaffali. Ma quel giovanotto, ad un tratto, la richiamò: «Signorina.»

Lei si voltò subito. «Signorina,» disse quello, «nessuno le ha mai detto che potrebbe fare del cinema?»

Stavo in un canto osservando, e vidi Valentina diventar rossa fino ai capelli: per la prima volta in vita sua era colorita: «No, nessuno, perché?»

«Perché» disse quello sempre con la stessa leggerezza «lei ci ha una gran bella faccia.» [...]

Poi trovò il pacco e lo portò al giovanotto che, intanto, aveva cavato la stilografica e aveva scritto qualche cosa su un biglietto. Lui ritirò il pacco e le diede il biglietto dicendo: «Venga martedì a quest'indirizzo, agli studi ... abbiamo bisogno proprio di una faccia come la sua ... domandi di me.» [...]

Ho detto che Valentina non aveva mai voluto accettare i miei inviti. Ma quando venne il momento di recarsi agli studi, fu proprio a me che lei ricorse. «Accompagnami,» disse la sera prima, «da sola non me la sento.» [...]

Martedì, all'appuntamento a piazzale Flaminio, Valentina si presentò tutta vestita come per la festa: un bel cappotto nuovo di lana blu, calze di seta, scarpe coi fiocchetti e, nella mano, un ombrellino rosso, anch'esso col fiocco. [...]

Mi avvicinai ad un macchinista e gli domandai: «Per favore, il signor Zangarini.»

«E chi è Zangarini?» domandò quello, da vero ignorante.

Rimasi smarrito. Per fortuna, un altro macchinista, più gentile, intervenne: «Zangarini ... ma non è qui ... è al teatro numero tre.»[...]

Zangarini doveva essersi dimenticato di ogni cosa. Poi guardò Valentina, parve ricordarsi e disse, sforzandosi di far la voce gentile: «Mi dispiace, signorina, ma non c'è nulla da fare per lei.»

«Ma come, venerdì lei aveva detto che c'era bisogno di una ragazza proprio come questa.»

«C'era ... ma adesso non più: l'abbiamo trovata.»

«Ma dica» feci scaldandomi «questa non è la maniera ... farci venire qui e poi dirci che ne avete trovata un'altra.»

«E che posso farci io?»

Stavo per rispondergli proprio male, quando ad un tratto, scoppiò un urlo: «È lui ... è lui ... eccolo quello che ci vuole.»

Era il regista che mi stava addosso, puntandomi in petto l'indice, con occhi fiammeggianti. Domandai imbarazzato: «Ma chi, lui?» E il regista: «Lei è un mascalzone, uno sfruttatore di donne, un teppista, un magnaccia, nevvero? ... Dica, lei è un mascalzone?»

«Guardi come parla» risposi offeso, «sono un funzionario statale ... mi chiamo Renato Parigini.» [...]

Insomma, per farla breve, Zangarini intervenne e mi spiegò che stavano appunto cercando una faccia di mascalzone per una particina di contorno; che la faccia mia faceva proprio al caso loro; e così, se volevo, potevo passare quel giorno stesso per il provino. E Valentina? [...]

Non l'ho più rivista perché il giorno dopo non andai all'ufficio e feci il provino e questo provino andò bene e cominciai a lavorare negli studi e da allora, più o meno, non ho mai smesso. Sono specializzato in particine di sfondo, anche mute, di teppista, sfruttatore di donne, **baro**, ladruncolo, e simili. Da ultimo ho saputo da un antico compagno dell'ufficio pacchi che ho incontrato per strada, che Valentina si è fidanzata con un impiegato del fermo posta, quattro sportelli più in là del suo.

GLOSSARIO

azzimata: ripulita con cura insolita, quasi leziosa

baro: truffatore al gioco, imbroglione

canto: in un angolo, in disparte (usato in Toscana)

cataste: gran quantità

cavato: (cavare) preso

macchinista: responsabile della manutenzione e del funzionamento di una o più macchine o strumenti di lavoro (in questo caso, macchine da presa)

magnaccia: individuo che sfrutta a proprio vantaggio la prostituzione (parola dialettale di origine romanesca)

scaldandomi: (scaldarsi) arrabbiandomi, perdendo il controllo

1 ATTIVITÀ DI COMPRENSIONE

1. Riordinate le sequenze in cui è diviso il racconto:

a) Renato è diventato attore.
b) Valentina si è fidanzata con un collega di lavoro.
c) Un giorno arriva un signore all'ufficio postale per ritirare un pacco e rimane colpito dalla faccia angelica di Valentina.
d) Renato viene notato da un regista per la sua faccia da mascalzone.

a) .... b) .... c) .... d) ....

2. Scegliete l'affermazione corretta:

a) il protagonista è un attore/un impiegato.
b) la sua fortuna è cominciata grazie a Valentina/grazie a un produttore cinematografico

a) .... b) ....

3. Descrivete com'è:

a) l' ufficio postale ....

....

b) Valentina ....

....

c) Renato ....

....

2 RIFLESSIONI NARRATOLOGICHE

1. Il narratore del racconto è esterno o interno? Perché?

....

....

2. Evidenziate alcune parti descrittive del testo e riflettete se questo può definirsi un testo descrittivo:

....

....

3. Provate a fare una caratterizzazione sociale dei protagonisti del racconto:

....

....

....

....

3 RIFLESSIONI LINGUISTICHE

1. Il verbo "cavare" in questo contesto, ha il significato di "tirar fuori". Provate a cercare altri significati di questo verbo:

....

....

2. La particella pronominale "ci" è unita al verbo "avere": provate a spiegare il significato di questo uso:

....

....

3. "Testolina" è un sostantivo (testa) arricchito da un suffisso diminutivo (-ina). Quali altre forme di suffissi diminutivi conoscete? Ci sono delle differenze tra loro? Provate a spiegare il significato dei seguenti diminutivi all'interno di queste frasi:

a) Ho visto una donnina al mercato.
b) Ho perso il libretto universitario.
c) Stavano appunto cercando una faccia di mascalzone per una particina di contorno.
d) Scarpe coi fiocchetti e nella mano un ombrellino rosso.
e) Maria è una donnetta.
f) Ladruncolo

....

....

....

....

....

....

4. Trasformate queste frasi al discorso indiretto:

«Signorina» disse quello, «nessuno le ha mai detto che potrebbe fare del cinema?»

....

«Accompagnami», disse, «da sola non me la sento».

....

«Mi dispiace signorina ma non c'è nulla da fare per lei».

....

5. "Ufficio pacchi" è un'unità lessicale comprensibile, nel suo significato, solo se non vengono separate le singole parole che la compongono (unità lessicale superiore). Trovate nel testo altre unità di questo tipo (es. fermo posta):

....

....

6. Provate a fornire altri significati della parola "studio":

....

....

4) ATTIVITÀ DI PRODUZIONE ORALE E/O SCRITTA

1. Quali sono, secondo voi, le caratteristiche fondamentali per diventare un attore famoso?

....

....

....

2. Lavorate in gruppo: provate ad adattare il racconto a una sequenza cinematografica.

....

....

....

3. Immaginate un finale alternativo:

....

....

....

4. Questo racconto fa parte del periodo di produzione neorealista di Moravia: conoscete qualcosa sulla letteratura o sul cinema neorealista italiano?

....

....

....

Racconto 12

LE PICCOLE VIRTÙ

da *Le piccole virtù* di Natalia Ginzburg

Per quanto riguarda l'educazione dei figli, penso che si debbano insegnar loro non le piccole virtù, ma le grandi. Non il risparmio, ma la generosità e l'indifferenza al denaro; non la prudenza, ma il coraggio e lo **sprezzo** del pericolo; non l'astuzia, ma la schiettezza e l'amore alla verità; non la diplomazia, ma l'amore al prossimo e l'**abnegazione**; non il desiderio del successo, ma il desiderio di essere e di sapere.

Di solito invece facciamo il contrario: ci affrettiamo a insegnare il rispetto per le piccole virtù, fondando su di esse tutto il nostro sistema educativo. Scegliamo, in questo modo, la via più comoda: perché le piccole virtù non racchiudono alcun pericolo materiale, e anzi tengono al riparo dai colpi della fortuna. Trascuriamo d'insegnare le grandi virtù, e tuttavia le amiamo, e vorremmo che i nostri figli le avessero: ma nutriamo fiducia che **scaturiscano** spontaneamente nel loro animo, un giorno avvenire, ritenendole di natura istintiva, mentre le altre, le piccole, ci sembrano il frutto d'una riflessione e di un calcolo e perciò noi pensiamo che debbano assolutamente essere insegnate.

In realtà la differenza è solo apparente. Anche le piccole virtù provengono dal profondo del nostro istinto, da un istinto di difesa: ma in esse la ragione parla, sentenzia, disserta, brillante avvocato dell'incolumità personale. Le grandi virtù sgorgano da un istinto in cui la ragione non parla, un istinto a cui sarebbe difficile dare un nome. E il meglio di noi è in quel muto istinto: e non nel nostro istinto di difesa, che argomenta, sentenzia, disserta con la voce della ragione.

L'educazione non è che un certo rapporto che stabiliamo fra noi e i nostri figli, un certo clima in cui fioriscono i sentimenti, gli istinti, i pensieri. Ora io credo che un clima tutto ispirato al rispetto per le piccole virtù, maturi insensibilmente al cinismo, o alla paura di vivere. Le piccole virtù, in se stesse, non hanno nulla da fare col cinismo, o con la paura di vivere: ma tutte insieme, e senza le grandi, generano un'atmosfera che porta a delle conseguenze. Non che le piccole virtù, in se stesse, siano spregevoli: ma il loro valore è di ordine complementare e non sostanziale; esse non possono stare da sole senza le altre, e sono, da sole senza le altre, per la natura umana un povero cibo. Il modo di esercitare le piccole virtù, in misura temperata e quando sia del tutto indispensabile, l'uomo può trovarlo intorno a sé e berlo nell'aria: perché le piccole virtù sono di un ordine assai comune e diffuso tra gli uomini. Ma le grandi virtù, quelle non si respirano nell'aria: e debbono essere la prima sostanza del nostro rapporto coi nostri figli, il primo fondamento dell'educazione. Inoltre, il grande può anche contenere il piccolo: ma il piccolo, per legge di natura, non può in alcun modo contenere il grande.

Non giova che cerchiamo di rammentare e imitare, nei rapporti coi nostri figli, i modi tenuti dai nostri genitori con noi. Quello della nostra giovinezza e infanzia non era un tempo di piccole virtù: era un tempo di forti e sonore parole, che però a poco a poco perdevano la loro sostanza. Ora è un tempo di parole sommesse e frigide, di sotto alle quali forse riaffiora il desiderio d'una riconquista. Ma è un desiderio timido, e pieno di paura del ridicolo. Così ci rivestiamo di prudenza e d'astuzia. I nostri genitori non conoscevano né prudenza, né astuzia; non conoscevano la paura del ridicolo; erano inconseguenti e incoerenti, ma non se ne accorgevano mai; si contraddicevano di continuo, ma non ammettevano mai d'essersi contraddetti. Usavano con noi un'autorità, che noi saremmo del tutto incapaci di usare. Forti dei loro principi, che credevano indistruttibili, regnavano con potere assoluto su di noi. Ci assordavano di parole tuonanti; un dialogo non era possibile, perché appena sospettavano d'aver torto ci ordinavano di tacere; battevano il pugno sulla tavola, facendo tremare la stanza. Noi ricordiamo quel gesto, ma non sapremmo imitarlo. Possiamo infuriarci, urlare come lupi; ma in fondo alle nostre urla di lupo c'è un singhiozzo isterico, un rauco belato d'agnello. [...]

GLOSSARIO

abnegazione: dedizione, rinuncia, sacrificio di sé, della propria volontà

assordavano: (assordare) far quasi perdere l'udito, infastidire, annoiare

cinismo: modo di sentire, di comportarsi caratterizzato da indifferenza e disprezzo

giova: (giovare) essere utile, vantaggioso

incolumità: condizione di chi è incolume, intatto, indenne

rammentare: ricordare

ridicolo: goffo, strano, buffo

scaturiscano: (scaturire) derivare, provenire, avere origine

schiettezza: qualità di chi è sincero, leale

sgorgano: (sgorgare) uscire con impeto, con forza e in abbondanza

sonore: che danno suono, che risuonano

sprezzo: disprezzo, noncuranza

tuonanti: rumoreggianti, rimbombanti

1 ATTIVITÀ DI COMPRENSIONE

1. Rileggete il testo e indicate le cose che i figli devono imparare e non imparare, completando la seguente griglia:

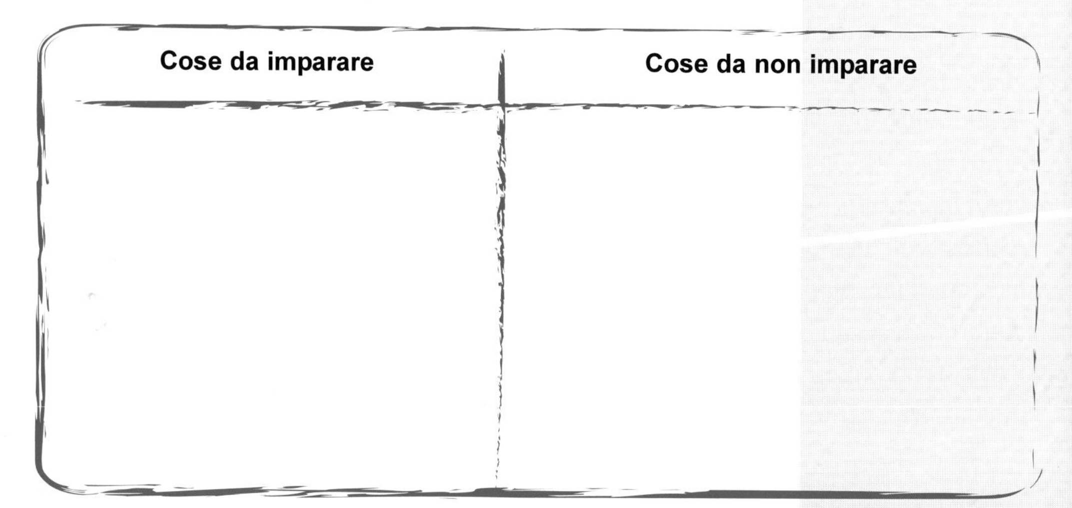

Cose da imparare	Cose da non imparare

2. Quali sono, secondo la scrittrice le piccole e le grandi virtù?

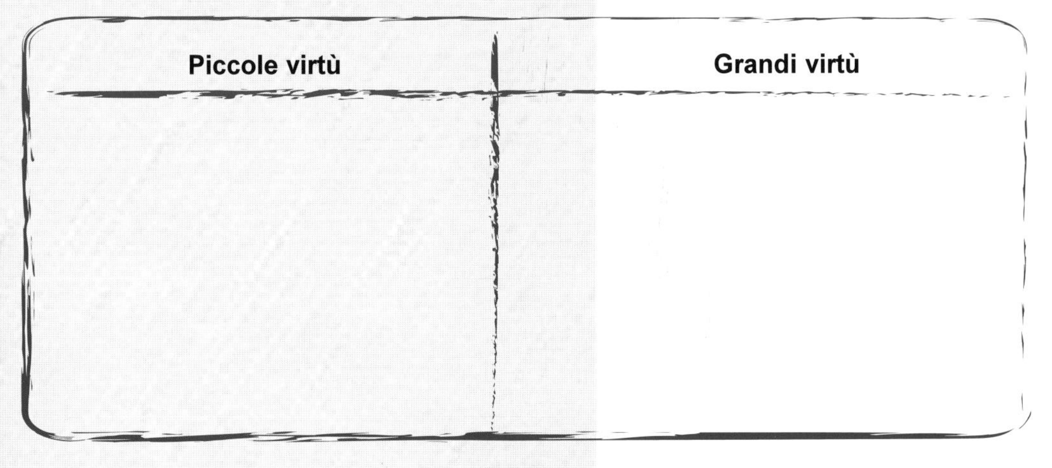

Piccole virtù	Grandi virtù

3. Che cos'è, secondo la scrittrice, l'educazione?

....

....

....

4. Fate un confronto tra i genitori di ieri e quelli di oggi, secondo le informazioni presenti nel testo:

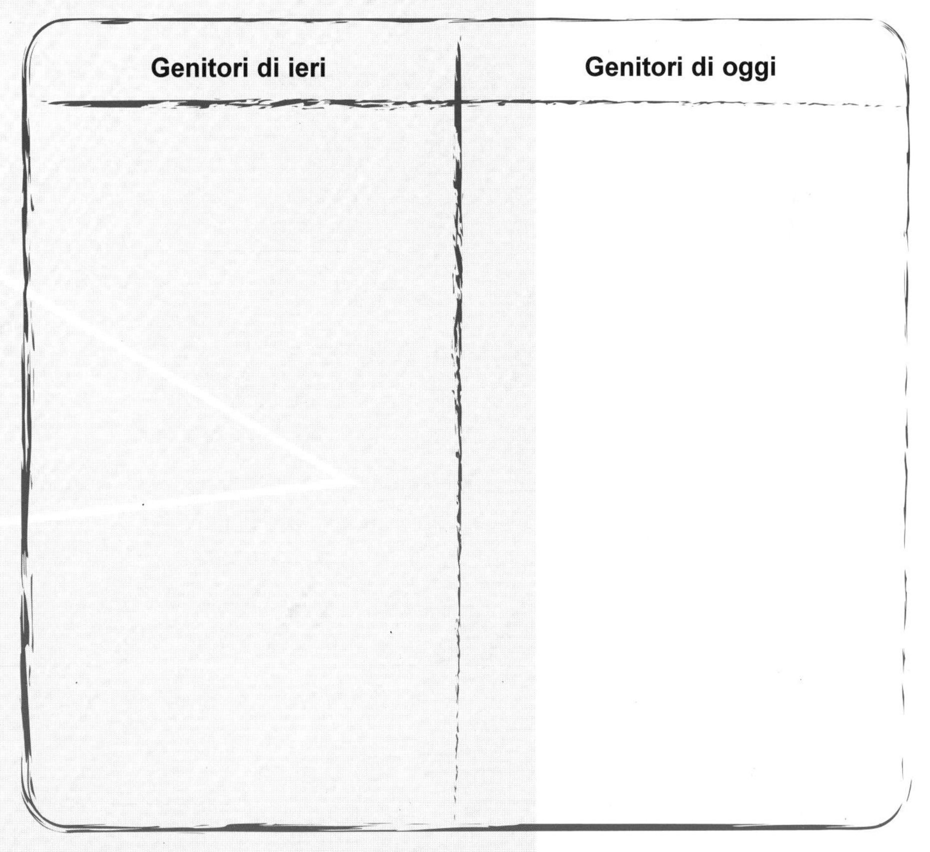

Genitori di ieri	Genitori di oggi

2 RIFLESSIONI NARRATOLOGICHE

1. Indicate di che tipo di testo si tratta (narrativo, descrittivo, argomentativo, informativo, espositivo):

 ....

2. Dividete in sequenze il racconto e date il titolo ad ognuna di esse:

 ....

 ....

 ....

 ....

 ....

 ....

 ....

 ....

3. Individuate il messaggio che vuole dare l'autrice:

 ....

 ....

3 RIFLESSIONI LINGUISTICHE

1. Spiegate il significato della seguente espressione figurata e provate a indicarne altre legate al sostantivo lupo:
 urlare come lupi

 ....

 ....

2. Prova a sostituire ai seguenti aggettivi dei sinonimi:
 sonore parole ....
 parole sommesse ....
 parole tuonanti ....

3. Nel testo appaiono alcuni termini tipici del linguaggio giuridico come "argomentare", "dissertare", "sentenziare". Cercate sul dizionario il loro significato:

 ....

 ....

 ....

ATTIVITÀ DI PRODUZIONE ORALE E/O SCRITTA

1. Quanto è importante per voi il denaro? Qual è il vostro rapporto con i soldi?

....

....

....

2. Il rapporto genitori/figli è stato da sempre conflittuale e difficile. Provate a raccontare una vostra esperienza personale relativa a questo legame.

....

....

....

3. Provate a indicare le differenze descritte dalla scrittrice tra il rapporto esistente tra genitori e figli di "ieri" e quello di "oggi".

....

....

....

4. Provate a spiegare che tipo di educazione avete ricevuto.

....

....

....

5. Che tipo di educazione dareste a vostro figlio?

....

....

....

6. Scegliete nel testo una frase significativa che riassuma il senso del racconto.

....

....

....

7. Ritornate alle attività di comprensione e indicate se siete d'accordo con la scrittrice.

....

....

....

TUTTO IN UN PUNTO

da *Le Cosmicomiche* di Italo Calvino

Attraverso i calcoli iniziati da Edwin P. Hubble sulla velocità d'allontanamento delle galassie, si può stabilire il momento in cui tutta la materia dell'universo era concentrata in un punto solo, prima di cominciare a **espandersi** *nello spazio. La "grande esplosione" (big bang) da cui ha avuto origine l'universo sarebbe avvenuta circa 15 o 20 miliardi d'anni fa.*

Si capisce che si stava tutti lì, – fece il vecchio Qfwfq, – e dove, altrimenti? Che ci potesse essere lo spazio, nessuno ancora lo sapeva. E il tempo, idem: cosa volete che ce ne facessimo, del tempo, **stando lì pigiati come acciughe**?

[...] Quanti eravamo? Eh, non ho mai potuto rendermene conto nemmeno approssimativamente. Per contarsi, ci si deve staccare almeno un pochino uno dall'altro, invece occupavamo tutti quello stesso punto. Al contrario di quel che può sembrare, non era una situazione che favorisse la socievolezza; so che per esempio in altre epoche tra vicini ci si frequenta; lì invece, per il fatto che vicini si era tutti non ci si diceva neppure buongiorno o buonasera.

Ognuno finiva per aver rapporti solo con un ristretto numero di conoscenti. [...]

Era una mentalità, diciamolo, ristretta, quella che avevamo allora, meschina. [...]

Finché non si nomina la signora Ph(i)Nk* – tutti i discorsi vanno sempre a finir lì, e allora di colpo le meschinità vengono lasciate da parte, e ci si sente sollevati come in una commozione beata e generosa. La signora Ph(i)Nk*, la sola che nessuno di noi ha dimenticato e che tutti rimpiangiamo. Dove è finita? Da tempo ho smesso di cercarla: la signora Ph(i)Nk*, il suo seno, i suoi fianchi, la sua vestaglia arancione, non la incontreremo più, né in questo sistema di galassie né in un altro.

[...] Il mese scorso, entro al caffè qui all'angolo e chi vedo? Il signor Pber* Pber*. – Che fa di bello? Come mai da queste parti? [...] – e la signora Ph(i)Nk*, crede che la ritroveremo? – Ah, sì ... Lei sì ... – fece lui, imporporandosi.

Per tutti noi la speranza di tornare nel punto è soprattutto quella di trovarci ancora insieme alla signora Ph(i)Nk*. [...]

Il gran segreto della signora Ph(i)Nk* è che non ha mai provocato gelosie tra noi. E neppure pettegolezzi. Che andasse a letto col suo amico, il signor De XuaeauX, era noto. Ma in un punto, se c'è un letto, occupa tutto il punto, quindi non si tratta di andare a letto ma di esserci, perché chiunque è nel punto è anche nel letto. Di conseguenza, era inevitabile che lei fosse a letto anche con ognuno di noi. Fosse stata un'altra persona, chissà quante cose le si sarebbero dette dietro. [...] Con lei invece era diverso: la felicità che mi veniva da lei era insieme quella di celarmi io puntiforme in lei, e quella di proteggere lei puntiforme in me, era contemplazione viziosa (data la promiscuità del convergere puntiforme di tutti in lei) e insieme casta (data l'impenetrabilità puntiforme di lei). Insomma, cosa potevo chiedere di più?

[...] Si stava così bene tutti insieme, così bene, che qualcosa di straordinario doveva pur accadere. Bastò che a un certo momento lei dicesse: – Ragazzi, avessi un po' di spazio come mi piacerebbe farvi le tagliatelle! [...] e nello stesso tempo del pensarlo questo spazio inarrestabilmente si formava, nello stesso tempo in cui la signora Ph(i)Nk* pronunciava quelle parole: – ... le tagliatelle, ve', ragazzi! – il punto che conteneva lei e noi tutti s'espandeva in una raggera di distanze d'anni-luce e secoli-luce e miliardi di millenni-luce, e noi sbattuti ai quattro angoli dell'universo (il signor Pber* Pber* fino a Pavia), e lei dissolta in non so quale specie d'energia luce calore, lei signora Ph(i)Nk*, quella che in mezzo al chiuso nostro mondo meschino era stata capace d'uno slancio generoso, il primo, «Ragazzi, che tagliatelle vi farei mangiare!», un vero slancio d'amore generale, dando inizio nello stesso momento al concetto di spazio, e allo spazio propriamente detto, e al tempo, e alla gravitazione universale, e all'universo gravitante, rendendo possibili miliardi di miliardi di soli, e di pianeti, e di campi di grano, e di signore Ph(i)Nk sparse per i continenti dei pianeti che impastano con le braccia unte e generose infarinate, e lei da quel momento perduta, e noi a rimpiangerla.

GLOSSARIO

casta: (aggettivo): chi si astiene da rapporti sessuali specialmente per motivi religiosi o morali

casta: (sostantivo femminile): gruppo sociale rigidamente chiuso a cui ognuno appartiene per nascita. In India ciascuno dei gruppi sociali su cui si basava, soprattutto in passato, la suddivisione della società. Categoria sociale o professionale chiusa, i cui componenti godono di speciali diritti o privilegi

celarmi: (celarsi) nascondersi

convergere: muoversi da punti diversi verso uno stesso punto

dissolta: (dissolvere) scomparire, sparire, dileguarsi

espandersi: allargarsi, estendersi, ingrandirsi

impenetrabilità: non penetrabile, inaccessibile. In questo caso il termine si riferisce all'impossibilità dell'atto sessuale

imporporandosi: (imporporarsi) diventare del colore della porpora

inarrestabilmente: incontrollabilmente

meschino: chi è gretto, povero di spirito, ristretto mentalmente

promiscuità: mancanza di intimità o di riservatezza dovuta alla convivenza o alla compresenza di troppe persone in uno spazio angusto o in condizioni misere

raggera: insieme di raggi che partono da un punto e si dispongono in maniera circolare

rimpiangiamo: (rimpiangere) ricordare con nostalgia persone, cose o vicende del passato rammaricandosi che siano irrimediabilmente perdute

s'espandeva: (espandersi) allargarsi, estendersi, ingrandirsi

stando pigiati come acciughe: (stare/essere pigiati come acciughe) frase idiomatica che significa stare vicinissimi e quindi scomodi

1 ATTIVITÀ DI COMPRENSIONE

1. Individuate se le seguenti affermazioni sono vere o false:

	V	F
a) Il racconto parla della trasformazione dell'universo	☐	☐
b) I personaggi e i loro nomi sono reali	☐	☐
c) I sentimenti dei personaggi sono umani	☐	☐

2. Trovate nel testo le frasi che confermano le vostre risposte:

....

....

....

2 RIFLESSIONI NARRATOLOGICHE

1. Il narratore, nel testo, è interno o esterno? Elencate alcune frasi che giustificano la vostra risposta.

....

....

....

2. Sottolineate all'interno del testo le opinioni del narratore.

3. Qual è la sequenza in cui un'azione particolare altera il ritmo del racconto?

....

....

....

4. *Le Cosmicomiche* è un titolo che vede la combinazione di 2 aggettivi. Dove trovate nel testo l'elemento *comico* e quello *cosmico*?

Può aiutarvi a riflettere questo brano di Calvino:«Nell'elemento *cosmico* per me non entra tanto il richiamo dell'attualità "spaziale" quanto il tentativo di rimettermi in rapporto con qualcosa di molto più antico. Nell'uomo primitivo e nei classici il senso *cosmico* era l'atteggiamento più naturale; noi invece per affrontare le cose troppo grosse abbiamo bisogno d'uno schermo, d'un filtro, e questa è la funzione del *comico*. Combinando in una sola parola i due aggettivi, ho cercato di mettere insieme varie cose che mi stanno a cuore».

....

....

....

3 RIFLESSIONI LINGUISTICHE

1. Quali sono i principali tempi verbali e quali funzioni rappresentano nel ritmo della narrazione (descrizioni, eventi, pensieri, riflessioni, dubbi, ecc.)?

....

....

....

....

2. Nel testo troviamo l'espressione "**essere pigiati come acciughe**".

Ecco altre frasi idiomatiche in cui vengono usati nomi di animali:

- **piangere lacrime di coccodrillo**
- **essere ciechi come talpe**
- **avere la memoria come un elefante**
- **dormire come un ghiro**
- **essere sani come pesci**

Esistono analoghe espressioni nella vostra lingua? Quali animali vengono usati?

....

....

....

....

....

3. Individuate ed elencate alcune espressioni o termini del linguaggio scientifico presenti nel testo.

....

....

....

4. Nel testo leggiamo «**Che andasse a letto con il Signor De XuaeauX era noto**».

Ricostruite l'ordine standard dei costituenti, poi rileggete le due frasi e mettetele a confronto. Che differenze notate?

....

....

....

....

5. Rendete in italiano standard i seguenti toscanismi presenti nel testo:

ci si sente ....

si stava ....

6. Il verbo "impastare" all'interno del testo deriva dal sostantivo "pasta". Provate a formare dei verbi dai seguenti sostantivi:

burro, forno, bottiglia, acqua, pane, farina

....

....

7. Nella versione integrale del testo c'è il sintagma "losca insinuazione", con l'aggettivo prima del sostantivo. Riflettete sull'ordine aggettivo + sostantivo e cercate di spiegare quando si usa. Leggete gli esempi che seguono, possono aiutarvi:

pover'uomo / uomo povero
gentiluomo / uomo gentile
buon uomo / uomo buono
grand'uomo / uomo grande
AGGETTIVO + NOME ....
NOME + AGGETTIVO ....

8. Trovate il participio passato dei seguenti verbi:
espandere, rendersi conto, rimpiangere, celare, dissolvere

....

....

9. Individuate i discorsi diretti, quindi trasformateli al discorso indiretto:

....

....

....

....

....

....

....

....

....

....

....

....

....

....

....

....

....

....

....

4 ATTIVITÀ DI PRODUZIONE ORALE E/O SCRITTA

1. Cosa sapete del big bang, cosa pensate sia successo? Esponete la vostra opinione sull'origine dell'universo:

....

....

....

....

....

....

2. A gruppi:
– raccogliete del materiale relativo all'origine dell'universo (internet, manuali, ecc…);
– raccogliete del materiale relativo alle principali ipotesi sulla trasformazione dell'universo (internet, manuali, ecc...).
Ogni gruppo, alla fine, porta il proprio contributo per favorire una discussione.

3. «**Ragazzi, avessi un po' di spazio come mi piacerebbe farvi le tagliatelle**». Questa è la frase dalla quale sarebbe scaturito l'universo, secondo il fantasioso narratore. Immaginate una diversa azione che possa aver dato inizio al tempo e allo spazio e quindi una diversa evoluzione al racconto:

....

....

....

....

....

....

....

....

....

....

....

....

UNA GOCCIA

da *Sessanta Racconti* di Dino Buzzati

Una goccia d'acqua sale i gradini della scala. La senti? Disteso in letto nel buio, ascolto il suo **arcano** cammino. Come fa? Saltella? Tic, tic, si ode a **intermittenza**. Poi la goccia si ferma e magari per tutta la rimanente notte non si fa più viva. Tuttavia sale. Di gradino in gradino viene su, a differenza delle altre gocce che cascano perpendicolarmente, in **ottemperanza** alla **legge di gravità**, e alla fine fanno un piccolo **schiocco**, ben noto in tutto il mondo. Questa no: piano piano si innalza lungo la tromba delle scale lettera E dello **sterminato casamento**.

Non siamo stati noi, adulti, raffinati, sensibilissimi, a segnalarla. Bensì una **servetta** del primo piano, **squallida** piccola ignorante creatura. Se ne accorse una sera, a tarda ora, quando tutti erano già andati a dormire. Dopo un po' non seppe frenarsi, scese dal letto e corse a svegliare la padrona. «Signora» sussurrò «signora!» «Cosa c'è?» fece la padrona **riscuotendosi**. «Cosa succede?» «C'è una goccia, signora, che vien su per le scale!» «Che cosa?» chiese l'altra **sbalordita**. «Una goccia che sale i gradini!» ripetè la servetta, e quasi si metteva a piangere. «Va, va» imprecò la padrona «sei matta? Torna in letto, marsch! Hai bevuto, ecco il fatto, vergognosa. È un pezzo che al mattino manca il vino nella bottiglia! Brutta sporca, se credi ...» Ma la ragazzetta era fuggita, già rincattucciata sotto le coperte.

«Chissà che cosa le sarà mai saltato in mente, a quella stupida» pensava poi la padrona, in silenzio, avendo ormai perso il sonno. Ed ascoltando involontariamente la notte che dominava sul mondo, anche lei udì il curioso rumore. Una goccia saliva le scale, positivamente.

Gelosa dell'ordine, per un istante la signora pensò di uscire a vedere. Ma che cosa mai avrebbe potuto trovare alla miserabile luce delle lampadine oscurate, pendule dalla ringhiera? Come rintracciare una goccia in piena notte, con quel freddo, lungo le rampe tenebrose?

Nei giorni successivi, di famiglia in famiglia, la voce si sparse lentamente e adesso tutti lo sanno nella casa, anche se preferiscono non parlarne, come di cosa sciocca di cui forse vergognarsi. Ora molte orecchie restano tese, nel buio, quando la notte è scesa a opprimere il genere umano. E chi pensa a una cosa, chi a un'altra.

Certe notti la goccia tace. Altre volte invece, per lunghe ore non fa che spostarsi su, su, si direbbe che non si debba più fermare. Battono i cuori allorché il tenero passo sembra toccare la soglia. Meno male, non si è fermata. Eccola che si allontana, tic, tic, avviandosi al piano di sopra.

So di positivo che gli inquilini dell'ammezzato pensano di essere ormai al sicuro. La goccia – essi credono – è già passata davanti alla loro porta, né avrà più occasione di disturbarli; altri, ad esempio io che sto al sesto piano, hanno adesso motivi di inquietudine, non più loro. Ma chi gli dice che nelle prossime notti la goccia riprenderà il cammino dal punto dove era giunta l'ultima volta, o piuttosto non ricomincerà da capo, iniziando il viaggio dai primi scalini, umidi sempre, ed oscuri di abbandonate immondizie? No, neppure loro possono ritenersi sicuri. [...]

Anche il dormire in una camera interna, lontana dalla tromba delle scale, non serve. Meglio sentirlo, il rumore, piuttosto che passare le notti nel dubbio se ci sia o meno. Chi abita in quelle camere riposte talora non riesce a resistere, sguscia in silenzio nei corridoi e se ne sta in anticamera al gelo, dietro la porta, col respiro sospeso, ascoltando. Se la sente, non osa più allontanarsi, schiavo di indecifrabili paure. Peggio ancora però se tutto tranquillo: in questo caso come escludere che, appena tornati a coricarsi, proprio allora non cominci il rumore? [...]

Ma che cosa sarebbe poi questa goccia: – domandano con esasperante buona fede – un topo forse? Un rospetto uscito dalle cantine? No davvero.

E allora – insistono – sarebbe per caso un'allegoria? Si vorrebbe, così dire, simboleggiare la morte? O qualche pericolo? O gli anni che passano? Niente affatto, signori: è semplicemente una goccia, solo che viene su per le scale.

O più sottilmente si intende raffigurare i sogni e le chimere? Le terre vagheggiate e lontane dove si presume la felicità? Qualcosa di poetico insomma? No, assolutamente.

55 Oppure i posti più lontani ancora, al confine del mondo, ai quali mai giungeremo? Ma no, vi dico, non è uno scherzo, non ci sono doppi sensi, trattasi ahimè proprio di una goccia d'acqua, a quanto è dato presumere, che di notte viene su per le scale. Tic. Tic, misteriosamente, di gradino in gradino. E perciò si ha paura.

GLOSSARIO

allegoria: rappresentazione di idee e concetti o atti mediante figure e simbòli

ammezzato: piano posto tra il pianterreno e il primo piano

arcano: misterioso, nascosto, segreto

casamento: grande casa popolare, composta di numerosi appartamenti

chimere: idee, fantasie inverosimili, fantasticherie, utopie

coricarsi: andare a letto

esasperante: che provoca irritazione e nervosismo

immondizie: sporcizia, spazzatura, rifiuti

indecifrabili: che non si riescono a capire, a intendere, a interpretare

intermittenza: interruzione, sospensione e poi ripresa

inquietudine: preoccupazione, ansia

legge di gravità: forza che attira i corpi verso il centro della Terra

miserabile: che è da commiserare a causa della sua estrema povertà o infelicità

ottemperanza: obbedienza

pendule: che pendono

presume: (presumere) supporre, credere, ritenere in base ad elementi vaghi e generici

rampe: parti di una scala costituite da una serie non interrotta di gradini compresa fra un pianerottolo e l'altro

rincattucciata: nascosta

ringhiera: parapetto, perlopiù metallico, posto lungo balconi o scale come protezione

rintracciare: trovare, seguire una traccia

riscuotendosi: (riscuotersi) trasalire, risvegliarsi dal torpore, dal sonno

rospetto: diminutivo di rospo: anfibio dal corpo tozzo e dalla pelle spessa e verrucosa

sbalordita: impressionata, turbata, stupita profondamente

schiocco: rumore secco e sonoro

servetta: diminutivo di serva: donna di servizio, domestica

sguscia: (sgusciare) uscire (dal guscio)

simboleggiare: significare, rappresentare con simboli

soglia: porta, entrata, ingresso

squallida: che si trova in uno stato di abbandono, di miseria

sterminato: grandissimo, di smisurata ampiezza

vagheggiate: guardate con diletto e compiacimento

1 ATTIVITÀ DI COMPRENSIONE

1. Chi scopre per primo l'esistenza della goccia?

....

2. Come reagiscono gli inquilini del palazzo?

....

3. Che cosa fanno la notte?

....

4. Che cosa pensa lo scrittore riguardo al rumore che fa la goccia?

....

5. Da che cosa deriva la sensazione di paura?

....

RIFLESSIONI NARRATOLOGICHE

1. Il narratore è interno o esterno alla vicenda?

....

2. Individuate le sequenze narrative e descrittive nel testo:

....

....

3. Individuate il protagonista della storia:

....

4. Individuate l'elemento misterioso e inquietante nel testo:

....

RIFLESSIONI LINGUISTICHE

1. Cercate di collegare, con dei connettivi appropriati, le seguenti frasi:

«Poi la goccia si ferma e magari per tutta la rimanente notte non si fa più viva. Tuttavia sale.»

«Non siamo stati noi, adulti, raffinati, sensibilissimi, a segnalarla. Bensì una servetta del primo piano, squallida piccola ignorante creatura.»

....

....

....

2. Trasformate il brano seguente dal discorso diretto a quello indiretto:

Dopo un po' non seppe frenarsi, scese dal letto e corse a svegliare la padrona. «Signora» sussurrò «signora!» «Cosa c'è?» fece la padrona riscuotendosi. «Cosa succede?» «C'è una goccia, signora, che vien su per le scale!» «Che cosa?» chiese l'altra sbalordita. «Una goccia che sale i gradini!» ripetè la servetta, e quasi si metteva piangere. «Va, va» imprecò la padrona «sei matta! Torna in letto, marsch! Hai bevuto, ecco il fatto, vergognosa. È un pezzo che al mattino manca il vino nella bottiglia! Brutta sporca, se credi ...» Ma la ragazzetta era fuggita, già rincattucciata sotto le coperte.

....

....

....

....

....

....

....

3. Nel testo compaiono i diminutivi "servetta, ragazzetta, rospetto". Scrivete altre dieci parole anche con i suffissi -ino, -uccio, -ello e formulate con essi delle frasi:

....

....

....

....

....

4. Nel testo compare la parola "allegoria". Quali altre figure retoriche conoscete? Provate a fare degli esempi:

....

....

5. Individuate nel testo alcune espressioni che si riferiscono al "mistero" della goccia:

....

....

4 ATTIVITÀ DI PRODUZIONE ORALE E/O SCRITTA

1. Che cosa rappresenta per voi la goccia?

....

....

2. Provate a dare la vostra interpretazione sul fatto che la goccia "sale" anziché scendere.

....

....

3. Quali sono gli aspetti misteriosi della vita?

....

....

4. Che cos'è per voi la paura?

....

....

5. Provate a scrivere/dire in quali circostanze avete avuto paura:

....

....

....

....

....

....

GIOCHI SENZA FINE

da *Le cosmicomiche* di Italo Calvino

*Se le galassie s'allontanano, la **rarefazione** dell'universo è **compensata** dalla formazione di nuove galassie composte di materia che si crea ex novo. Per mantenere stabile la densità media dell'universo, basta che si crei un atomo d'idrogeno ogni 250 milioni d'anni per 40 centimetri cubi di spazio in **espansione**. (Questa teoria, detta dello "stato stazionario", è stata contrapposta all'altra ipotesi che l'universo abbia avuto origine in un momento preciso, da una gigantesca esplosione).*

Ero un bambino e già me n'ero accorto, – raccontò Qfwfq. – Gli atomi d'idrogeno li conoscevo uno per uno, e quando ne saltava fuori uno nuovo lo capivo subito. Ai tempi della mia infanzia, per giocare, in tutto l'universo non avevamo altro che atomi d'idrogeno, e non facevamo che giocarci, io e un altro bambino della mia età, che si chiamava Pfwfp.

Com'era il nostro gioco? È presto detto. Lo spazio essendo curvo, attorno alla sua curva facevamo correre gli atomi, come delle **biglie**, e chi mandava più avanti il suo atomo vinceva. Nel dare il colpo all'atomo bisognava calcolar bene gli effetti, le traiettorie, saper sfruttare i campi magnetici e i campi di gravitazione, se no la pallina finiva fuori pista ed era eliminata dalla gara.

[...] Con l'andar del tempo, dài e dài, il gioco si fece più fiacco.

[...] Anche Pfwfp era cambiato: si distraeva, andava in giro, non era lì quando toccava a lui tirare, io lo chiamavo e lui non rispondeva, ricompariva dopo una mezz'ora

– Ma dài, tocca a te, che fai, non giochi più?

– Sì che gioco, non scocciare, adesso tiro.

– E be', se te ne vai per conto tuo, sospendiamo la partita!

– Uffa, fai tante storie perché perdi.

Era vero: io ero rimasto senza atomi, mentre Pfwfp, chissà come, ne aveva sempre uno di scorta. Se non saltavano fuori atomi nuovi da poterceli dividere, io non avevo più speranza di rimontare lo svantaggio.

Appena Pfwfp s'allontanò di nuovo, lo seguii in punta di piedi. Finché era in mia presenza pareva girellare distratto, fischiettando: ma una volta fuori del mio raggio si metteva a trottare per lo spazio con un'andatura intenta come chi ha un programma ben deciso in testa. E quale fosse questo suo programma – questo suo inganno, come vedrete, – non tardai a scoprirlo: Pfwfp sapeva tutti i posti dove si formavano gli atomi nuovi e ogni tanto ci faceva un giro e li coglieva lì sul posto, appena scodellati, e poi li nascondeva. Per questo gli atomi da tirare non gli mancavano mai!

[...] Per cosa farne? Cosa aveva in testa? Un sospetto mi venne: Pfwfp voleva costruirsi un universo per conto suo, nuovo fiammante.

Da quel momento in poi, non ebbi pace: dovevo rendergli pan per focaccia ...

Preparai certi corpuscoli che a osservarli attentamente era chiaro che non erano affatto d'idrogeno né d'altro elemento nominabile, ma per uno che passasse in fretta come Pfwfp a strapparli e ficcarseli in tasca con le sue mosse furtive, potevano sembrare idrogeno genuino e nuovo di zecca ...

Pfwfp non s'accorgeva di nulla: predace, ingordo, si riempiva le tasche di quella spazzatura mentre io accumulavo quanti tesori l'universo andava covando nel suo seno. [...]

Le sorti delle nostre partite cambiarono: io avevo sempre nuovi atomi da far correre, mentre quelli di Pfwfp facevano cilecca ...

Basta, – disse Pfwfp, – cambiamo gioco.

Alé! – dissi io. – Perché non giochiamo a far volare le galassie? – d'improvviso Pfwfp s'illuminò di contentezza. – Io ci sto! Ma tu ... tu una galassia non l'hai mica!

– Io sì.

– Anch'io!

– Dài! A chi la fa volare più alta!

E tutti gli atomi nuovi che tenevo nascosti li lanciai nello spazio. Dapprima sembrarono disperdersi, poi s'addensarono come in una nuvola leggera, e la nuvola s'ingrandì, s'ingrandì. [...] Ormai non ero più io che facevo volare la galassia, era la galassia che faceva volare me. [...]

Pfwfp, alla mia prima mossa, s'era affrettato a cacciar fuori tutto il suo bottino, e a lanciarlo accompagnandolo con il movimento bilanciato di chi s'aspetta di veder aprirsi in cielo le spire d'una sterminata galassia. Invece, niente. Ci fu uno sfrigolio di radiazioni, un baluginio disordinato, e subito si smorzò ogni cosa.

– Tutto lì? – io gridavo a Pfwfp che mi inveiva dietro, verde di rabbia:

– Ti farò vedere io, cane d'un Qfwfq!

Cominciò l'inseguimento.

Mi giro: Pfwfp era sempre alle mie calcagna. Mi rigiro ancora avanti: ed era lì che scappava volgendomi le spalle. Ma guardando meglio, vidi che davanti a questa sua galassia che mi precedeva ce n'era un'altra, e quest'altra era la mia, tant'è vero che c'ero io sopra, inconfondibile ancorché visto di schiena. [...]

E così dietro ogni Qfwfq c'era un Pfwfp e dietro ogni Pfwfp un Qfwfq e ogni Pfwfp inseguiva un Qfwfq e ne era inseguito e viceversa. Le nostre distanze un po' s'accorciavano un po' s'allungavano ma ormai era chiaro che l'uno non avrebbe mai raggiunto l'altro né mai l'altro l'uno. Di giocare a rincorrerci avevamo perso ogni gusto, e del resto non eravamo più bambini, ma ormai non ci restava altro da fare.

GLOSSARIO

ancorché: benché, anche se

baluginio: chiarore tenue o intermittente

biglie: palline, generalmente di vetro, usate dai ragazzi per giocare

compensata: (compensare) bilanciare, equilibrare, pareggiare

covando: (covare) nascondere

espansione: aumento, dilatazione, ampliamento

fiacco: spossato, debole, affaticato, stanco, sfinito

ficcarseli: (ficcarsi) mettersi dentro, infilarsi

fuori del mio raggio: fuori dal mio ambito, dal mio spazio

furtive: nascoste, illecite

ingordo: avido, insaziabile

intenta: tesa, concentrata verso qualcosa

inveiva: (inveire) gridare, urlare, ingiuriare

nuovo fiammante: nuovissimo

predace: avido, vorace

rarefazione: dilatazione, espansione

s'addensarono: (addensarsi) unirsi, condensarsi

saltavano fuori: (saltare fuori) comparire d'un tratto, essere ritrovato

scocciare: infastidire, seccare, assillare, tormentare

scodellati: nati

sfrigolìo: scoppiettìo, crepitìo

si smorzò: (smorzarsi) attenuarsi, calmarsi

sorti: destini

spire: spirali, anelli

sterminata: grande, enorme, immensa

tant'è vero che: infatti

trottare: correre

1 ATTIVITÀ DI COMPRENSIONE

Dopo aver letto il racconto riordinate le sequenze:

a) Lo seguì e scoprì che Pfwfq conosceva tutti i posti dove nascevano gli atomi. Per questo a lui non mancavano mai. Ma cosa ne voleva fare? Un nuovo universo.

b) Le loro partite cambiarono: gli atomi di Qfwfq funzionavano, quelli di Pfwfp no.

c) Pfwfp e Qfwfq cominciarono ad inseguirsi e come in un gioco di specchi i Pfwfp, i Qfwfq e le galassie si moltiplicarono e si inseguirono all'infinito in un gioco senza fine.

d) Qfwfq propose allora di giocare a far volare le galassie e lanciò tutti i suoi nuovi atomi che si addensarono immediatamente.

e) Qfwfq si arrabbiò moltissimo e decise di vendicarsi. Preparò delle biglie simili agli atomi di idrogeno che Pfwfp prese senza accorgersi dell'inganno.

f) Quando erano bambini Qfwfq e Pfwfp passavano il loro tempo giocando con gli atomi di idrogeno. Facevano correre gli atomi, come biglie, lungo lo spazio curvo dell'universo.

g) Vinceva chi mandava più avanti il proprio atomo. Con l'andar del tempo Pfwfp cambiò, non giocava più con la stessa passione, ma a differenza di Qfwfq, non gli mancavano mai gli atomi e la cosa insospettì Qfwfq.

a) .... b) .... c) .... d) .... e) .... f) .... g) ....

2 RIFLESSIONI NARRATOLOGICHE

1. Il narratore è innegabilmente presente, perché? Citate alcuni passi a sostegno di questa affermazione:

....

....

....

2. In quali sequenze del racconto, secondo voi, si capisce che Pfwfp è l'antagonista di Qfwfq?

....

....

....

3 RIFLESSIONI LINGUISTICHE

1. Qual è l'ordine standard delle seguenti frasi presenti nel testo?

Gli atomi d'idrogeno li conoscevo tutti ...

Quale fosse questo suo programma non tardai a scoprirlo ...

Per cosa farne? ...

E gli atomi nuovi che tenevo nascosti li lanciai nello spazio ...

Di giocare a rincorrerci avevamo perso ogni gusto ...

....

....

....

....

....

2. "Girellare" e "fischiettare" sono due verbi alterati che derivano rispettivamente da "girare" + -ellare e fischiare + -ettare.

Con l'aiuto del dizionario, formate gli alterati dei seguenti verbi usando i suffissi:

a) - (er/ar)ellare

giocare, trottare, saltare, bucare

b) -ettare, -ottare
piegare, parlare, scoppiare
c) -icchiare, -acchiare, -ucchiare
cantare, rubare, lavorare, mangiare
Riflettete sul nuovo significato dei verbi alterati:

....

....

....

....

....

3. Utilizzate le seguenti espressioni presenti nel testo formulando nuove frasi:

fare storie
in punta di piedi
nuovo fiammante
nuovo di zecca
rendere pan per focaccia
covare in seno
fare cilecca
starci
verde di rabbia
essere alle calcagna

....

....

....

....

....

....

....

....

....

....

4. A coppie, usando il dizionario, trovate i contrari dei seguenti aggettivi:

curvo ....
fiacco ....
predace ....
ingordo ....
inconfondibile ....

5. Trasformate in forma indiretta il primo discorso diretto presente nel testo.

....

....

....

....

4) ATTIVITÀ DI PRODUZIONE ORALE E/O SCRITTA

1. Trovate una nuova fine al racconto. Come può essere interrotto il gioco senza fine?

....

....

....

2. Il racconto vuole dare un messaggio al lettore? Se sì, quale?

....

....

....

3. Descrivete il carattere dei due personaggi:

....

....

....

....

4. Il gioco del "più furbo" paga nella vita?

....

....

5. Se scoprite che un vostro amico per ottenere qualcosa, vi mente, è disonesto e "gioca sporco", come vi comportate?

....

....

6. A coppie. Scrivete un breve copione e poi provate a drammatizzare il racconto. Attenzione! La storia può essere modificata a vostro piacimento:

....

....

....

....

....

....

Racconto 16

UNA LETTERA D'AMORE

da *Sessanta racconti* di Dino Buzzat

Enrico Rocco, 31 anni, gerente di una azienda commerciale, innamorato, si chiude nel suo ufficio; il pensiero di lei era diventato così potente e tormentoso ch'egli trovò la forza. Le avrebbe scritto, di là di ogni orgoglio e ogni pudore.

"Egregia signorina", cominciò, e al solo pensiero che quei segni lasciati dalla penna sulla carta sarebbero stati visti da lei, il cuore cominciò a battere, impazzito. «Gentile Ornella, mia Diletta, Anima cara, Luce, Fuoco che mi bruci, Ossessione delle notti, Sorriso, Fiorellino, Amore ...»

Entrò il fattorino Ermete: «Scusi, signor Rocco, c'è di là un signore che è venuto per lei. Ecco (guardò un biglietto) si chiama Manfredini».

«Manfredini? Come? Mai sentito nominare. Poi io adesso non ho tempo, ho un lavoro urgentissimo. Torni domani o dopo».

«Credo, signor Rocco, credo che sia il sarto, deve essere venuto per la prova ...»

[...] Entrò il sarto Manfredini col vestito. Una prova per modo di dire; indossata per pochi istanti la giacca e poi levata, appena il tempo di fare due tre segni col gessetto

[...] Avidamente ritornò alla scrivania, riprese a scrivere: "Anima Santa, Creatura dove sei in questo istante? Cosa fai? Ti penso con una tale forza che è impossibile il mio amore non ti arrivi anche se tu sei così lontana, addirittura dalla parte opposta della città, che mi sembra un'isola sperduta di là dei mari ..."[...]

In quel mentre il telefono al suo fianco cominciò a suonare. Fu come se una sega di ferro gelido gli fosse stata passata di strappo sulla schiena. Boccheggiò:

«Pronto?»

«Ciaooo» fece una donna con neghittoso miagolìo. [...] Era la Franca, sua cugina, brava ragazza, graziosa anche, che da qualche mese gli faceva un po' di corte, chissà cosa si era messa in mente. Le donne sono famose per costruir romanzi inverosimili. [...]

«Senti Enrico» chiese la voce strascicata «vuoi che venga a prenderti in ufficio?». «No, no perdonami, adesso ho un mucchio da fare». «Oh non fare complimenti, se ti do noia, sia come non detto. Arrivederci.» «Dio, come la prendi. Ho da fare, ti dico. Ecco, vieni più tardi.» «Più tardi quando?» «Vieni ... vieni fra due ore».

Sbattè sul trespolo la cornetta del telefono, gli pareva di aver perso un tempo interminabile, la lettera doveva essere imbucata per l'una, altrimenti sarebbe giunta a destinazione il giorno dopo. No, no l'avrebbe spedita per espresso.

[...] Il fattorino Ermete sulla porta. «Perdoni ...» «te l'ho già detto, ho un lavoro urgente, io non ci sono per nessuno, di' che ritornino stasera».

«Ma ...» «Ma cosa?» «C'è da basso il commendatore Invernizzi che l'aspetta in macchina».

[...] Quel tormento che gli bruciava dentro, proprio in corrispondenza dello sterno, raggiunse un grado intollerabile. [...] Scoraggiato chiuse il foglio in un cassetto. Prese il cappotto e via [...] Tornò che era l'una meno venti [...] la lettera era là [...] "Oh cara Ornella" scrive con il furore del naufrago su cui si abbattono i cavalloni sempre più alti e massacranti.

Il telefono. «Qui il commendator Stazi del Ministero dei commerci [...] Qui il segretario della confederazione dei consorzi [...] Qui il segretario particolare di Sua Eminenza l'arcivescovo [...] Qui il Presidente della Corte d'Appello [...] Qui il primo aiutante di campo di Sua Maestà l'Imperatore ...».

Travolto, trascinato via dai flutti. [...]
Quanto durò il turbine? Ore, giorni, mesi, millenni? Al calar della notte si ritrovò solo, finalmente.

Ma prima di lasciar lo studio, cercò di mettere un po' d'ordine nella montagna di scartafacci, pratiche, progetti, protocolli, accumulatasi sulla scrivania. Sotto all'immensa pila trovò un foglio di carta da lettere senza intestazione scritto a mano. Riconobbe i propri segni.

Incuriosito, lesse: «Che baggianate, che ridicole idiozie. Chissà quando mai le ho scritte?» si chiese, cercando invano nei ricordi, con un senso di fastidio e di smarri-
55 mento mai provato, e si passò una mano sui capelli oramai grigi. «Quando ho potuto scrivere delle sciocchezze simili? E chi era questa Ornella?»

GLOSSARIO

al calar della notte: al crepuscolo, quando non c'è più luce e scende l'oscurità

baggianate: stupidaggini, sciocchezze

boccheggiò: (boccheggiare) respirare affannosamente a bocca aperta, ansimare

cavalloni: grosse ondate

cornetta: ricevitore telefonico

di strappo: movimento violento e improvviso

diletta: cara, prediletta, amata. Può essere anche un nome proprio

faceva un po' di corte: (fare la corte) attorniare, seguire, adulare

fattorino: persona che, in negozi e uffici, svolge incarichi vari, come il ritiro e il recapito della corrispondenza

flutti: ondate

gerente: amministratore, dirigente, responsabile

intestazione: dicitura nella parte superiore di un foglio

miagolìo: verso del gatto che miagola. In questo caso si riferisce al tono lamentoso o stridulo, acuto o stridente della voce della donna

naufrago: superstite di un naufragio

neghittoso: pigro, lento, svogliato

pila: catasta, mucchio, cumulo

si abbattono: (abbattersi) precipitare, crollare, cadere con violenza

scartafacci: taccuini, blocnotes, quaderni

sega: utensile costituito da una lama d'acciaio dentata, usato per tagliare, vari materiali

sterno: osso del torace

strascicata: suono emesso in modo lento e monotono

trespolo: supporto di varia forma che serve da appoggio

turbine: vortice

1 ATTIVITÀ DI COMPRENSIONE

Rispondete alle seguenti domande:

	V	F
a) Enrico Rocco è segretario di un'azienda commerciale.	☐	☐
b) L'amore per Ornella lo appassiona e occupa i suoi pensieri anche quando lavora.	☐	☐
c) Il ritmo di lavoro di Enrico è sostenuto e incalzante.	☐	☐
d) Enrico non ha contatti con persone importanti.	☐	☐
e) Basta qualche giorno perché Enrico dimentichi Ornella.	☐	☐

2 RIFLESSIONI NARRATOLOGICHE

1. Il narratore è interno o esterno?

....

2. Dividete in sequenze il testo e date ad ognuna un titolo:

....

....

....

....

....

....

....

3 RIFLESSIONI LINGUISTICHE

1. Il testo è scritto in terza persona. Trasformatelo in prima persona e, alternandovi nella lettura, rileggete il racconto:

2. Nel testo c'è il termine "strappo". Questa parola associata ad alcuni verbi può cambiare significato. Provate a scoprire le diverse valenze e a fare degli esempi:

dare uno strappo ....
fare uno strappo ....
esserci uno strappo ....

3. La parola "corte", presente nel testo è usata soprattutto nel linguaggio giuridico, ma non solo, per designare vari organi. Cercateli sul dizionario:

....

....

4. "Cavallone" è un falso alterato che deriva da "cavallo". Cercate altri nomi, aggettivi o verbi che derivano dallo stesso termine:

....

....

5. Gli avverbi che indicano una particolare posizione del corpo vengono formati con il suffisso -oni, che si aggiunge a una base nominale o verbale. Provate a formarli e a spiegare di quale posizione si tratta:

bocca ....
ginocchio ....
tastare ....
ciondolare ....
ruzzolare ....
tentare ....

6. Nel brano seguente provate ad individuare il sinonimo più adatto per le parole evidenziate:

Quanto durò il turbine? Ore, giorni, mesi, millenni? Al calar della notte si ritrovò solo, finalmente. Ma prima di lasciar lo **studio**, cercò di mettere un po' d'ordine nella montagna di scartafacci, pratiche, progetti, protocolli, accumulatasi sulla scrivania. Sotto all'immensa pila trovò un foglio di carta da lettere senza intestazione scritto a mano. **Riconobbe** i propri segni.
Incuriosito, lesse: «Che baggianate, che **ridicole** idiozie. Chissà quando mai le ho scritte?» si chiese, cercando invano nei ricordi, con un senso di **fastidio** e di **smarrimento** mai provato, e si passò una mano sui capelli **oramai** grigi. «Quando ho potuto scrivere delle sciocchezze simili? E chi era questa Ornella?»

Studio:	1) camera	2) stanza per lavorare	3) attività
Riconobbe:	1) individuò	2) vide	3) seppe
Ridicole:	1) banali	2) stupide	3) irrisorie
Fastidio:	1) noia	2) imbarazzo	3) disagio

Smarrimento:	1) perdita	2) allontanamento	3) turbamento
Oramai:	1) già	2) purtroppo	3) finalmente

ATTIVITÀ DI PRODUZIONE ORALE E/O SCRITTA

1. A coppie. Dividete il testo in sequenze e scegliete un titolo per ogni sequenza, quindi riassumetelo:

....

2. Il messaggio del testo è piuttosto crudo: il tempo che passa inaridisce e annienta i sentimenti. Cosa ne pensate? Avete qualche esperienza da raccontare?

....

3. Si dice che uomini e donne vivano i sentimenti con intensità e modalità diverse. Cosa ne pensate?

....

4. Quando un amore finisce si dice che si deve "elaborare il lutto". È una morte che va "digerita", superata. Da sempre i poeti hanno scritto liriche sul connubio tra amore e morte. Conosci qualche poesia del tuo paese sull'argomento? Portala in classe, traducila e falla conoscere ai tuoi compagni:

5. Provate a fare un ritratto del protagonista del racconto:

....

6. A gruppi proponete un finale diverso del racconto:

....

DINO BUZZATI

BIOGRAFIA

Dino Buzzati nasce a Belluno nel 1906 e muore a Milano il 28 gennaio 1972.

Appena si laureò in legge, si dedicò all'attività giornalistica e fu anche cronista del *Corriere della Sera*; viaggiò quale inviato speciale in Europa, in Africa, in Asia.

Amò la montagna e il deserto: questi elementi naturali sono i due poli opposti della sua narrativa, quella che rievoca il passato e quella che si proietta nel futuro, sulla morte, sulla distruzione dell'uomo.

Buzzati ha trasferito nella narrazione l'arte del giornalista, un modo di descrivere asciutto ed essenziale, capace di accentrare i fatti narrati su alcuni momenti chiave (generalmente situazioni psichiche, reazioni anche morali di fronte a un fato ineluttabile quale la vecchiezza, la strada sbagliata, la vanificazione dei propri progetti, soprattutto la morte). Ne è un esempio *Il deserto dei Tartari* (1940), il romanzo in cui si narra di un'attesa, che dura tutta una vita, di un assalto, quello del Grande Nemico che verrà appunto dal deserto. Quest'opera è la storia di un uomo nel Tempo, stretto fra l'allucinazione dell'attesa e il finale passaggio obbligato alla morte.

Nei racconti che seguono (un punto d'arrivo è costituito dai *Sessanta racconti* che vinsero il premio Strega nel 1958) lo stile si fa più asciutto e teso, quasi paradigmatico, e la sconfitta dell'uomo si fa sempre più spoglia di "pietas".

Solo con *Un amore* (1963) Buzzati sembra tentare un romanzo affidato a una più complessa dimensione psicologica (la vicenda amorosa di un intellettuale avanti con gli anni).

Fra le sue opere di narrativa ricordiamo, oltre quelle già citate, *Il colombre* (1966), *La boutique del mistero* (1968), *Le notti difficili* (1971). Buzzati è stato inoltre scrittore per ragazzi e si è dedicato anche al teatro e alla pittura.

BIBLIOGRAFIA SPECIFICA SU DINO BUZZATI

BUZZATI D. *Sessanta racconti*, Milano, Mondadori, 2002

ITALO CALVINO

BIOGRAFIA

Nato a Cuba nel 1923, vissuto a San Remo fino al periodo del liceo, trasferitosi a Torino dove si laurea in Lettere, Calvino vive prima a Roma, poi a Parigi, dal 1964 al 1980, dove frequenta le lezioni di Roland Barthes, legge i testi dei teorici strutturalisti, stringe rapporti con Queneau, ed infine torna a Roma.

Nell'estate del 1985, a Castiglion della Pescaia (GR), mentre prepara i testi per le conferenze da tenere alla Harvard University, negli Stati Uniti, Calvino viene colpito da emorragia cerebrale; ricoverato a Siena, vi muore tra il 18 e il 19 settembre.

Il primo successo di Calvino, *Il sentiero dei nidi di ragno* (1947), che narra episodi della Resistenza visti attraverso gli occhi di un bambino, e quindi alterati secondo quella prospettiva interiore che è propria dell'infanzia, si colloca nell'atmosfera neorealista.

Un analogo processo trasfigurante caratterizza la trilogia de *I nostri antenati*: *Il visconte dimezzato* (1952), *Il barone rampante* (1957), *Il cavaliere inesistente* (1959), fantasie surrealiste tese ad illuminare la condizione dell'uomo nella società moderna.

Se da una parte Calvino fa una analisi indiretta e allusiva della realtà psicologica e sociale, dall'altra parla delle medesime tematiche attraverso una rappresentazione diretta.

Del 1956 è *Fiabe italiane*, vasto e ambizioso lavoro di raccolta e trascrizione in italiano dai vari dialetti delle fiabe italiane, dalle registrazioni degli studiosi di folklore del diciannovesimo secolo, in una dimensione magica e favolistica.

Nel 1965 esce il libro *Le Cosmicomiche*, con il quale pare voglia riscoprire le ascendenze scientifiche della sua famiglia. L'investigazione va dall'inesplorato futuro alle origini dell'universo. È una scommessa sui limiti del narrabile, una continua esplorazione di inedite possibilità. La sfrenata inventiva oggettivata da personaggi dai nomi impronunciabili, fatta di simmetrie e complessità innumerevoli, comunica la speranza di un inaspettato cambiamento.

L'opera narrativa è per Calvino una sorta di gioco di specchi in cui invenzione fantastica e realtà si duplicano continuamente, senza che nessuno dei due elementi possa definirsi prioritario rispetto all'altro. Sarebbe solo un gioco a freddo dell'intelligenza, un'insopportabile ostentazione di sé, se tutto ciò non riflettesse proprio la presenza di una crisi che investe tutte le strutture della società, il senso della vita umana e l'ordine del cosmo.

In *Palomar* (1983), Calvino è un osservatore "speciale". L'opera è costituita da spunti di descrizioni e di racconti appena suggeriti su cui crescono le ossessive meditazioni, le assillanti domande esistenziali del protagonista, Palomar, il cui nome deriva da un celebre osservatorio astronomico. Usa il microscopio e il telescopio per cercare un significato in ciò che lo circonda, ma il mistero rimane inesplorato.

Calvino, con la sua opera, non solo ha attraversato le tappe essenziali della cultura italiana e internazionale dalla metà degli anni Quaranta fino alla sua morte, ma lo ha fatto portando una carica inventiva, aperta al fantastico, al meraviglioso, e allo stesso tempo rivolgendosi all'orizzonte conoscitivo e riflessivo.

In questa ricerca, oggettivata nella sua produzione con precisione geometrica, l'autore non si espone mai, è sempre sfuggente, attento a nascondere ogni dato psicologico e caratteriale. C'è in lui un'esigenza di riservatezza e pudore.

La sua lingua mantiene il segno di questa razionalità e ricerca di equilibrio. La sua parola aspira sempre ad esprimere la lucidità del pensiero.

BIBLIOGRAFIA SPECIFICA SU ITALO CALVINO

CALVINO I. *Le cosmicomiche*, Torino, Einaudi, 1965. Rist. Milano, Mondadori, 2001
CALVINO I. *Palomar*, Torino, Einaudi, 1983. Rist., Milano, Mondadori, 1999

NATALIA GINZBURG

BIOGRAFIA

Nasce il 14 luglio 1916 a Palermo da Giuseppe Levi e Lidia Tanzi, ultima di cinque fratelli. Nasce per caso a Palermo in quanto il padre, triestino, in quegli anni insegnava anatomia comparata all'Università di Palermo. La madre, lombarda, era figlia di Carlo Tanzi, avvocato socialista amico di Turati, e sorella di Drusilla Tanzi (Mosca), compagna e poi moglie di Montale.

Nel 1919 la famiglia Levi si trasferisce a Torino e Natalia non frequenta le scuole elementari ma studia in casa.

Nel 1935 consegue la maturità classica e si iscrive alla Facoltà di Lettere, ma non si è mai laureata.

Nel 1938 sposa Leone Ginzburg, scrittore slavista, ebreo, e nel 1940 segue il marito al confino, senza limiti di tempo, in Abruzzo, a Pizzoli.

Nel 1942 pubblica, presso la casa editrice Einaudi, il suo primo romanzo, *La strada che va in città*, con lo pseudonimo di Alessandra Tornimparte.

Nel 1943 Leone Ginzburg lascia il confino, rientra a Torino e di lì passa a Roma, dove in settembre comincia la lotta clandestina. Il 1° novembre, Natalia, con i tre figli, raggiunge il marito a Roma. Il 20 novembre Leone è arrestato dalla polizia italiana in una tipografia clandestina e viene trasferito nel braccio tedesco di Regina Coeli dove morirà l'anno successivo in seguito alle torture subite dai nazisti. Dal giorno dell'arresto fino a quello della morte, Natalia non vede mai il marito.

Dopo un po' di tempo si trasferisce a Firenze. Liberata Firenze, torna a Roma dove viene assunta come redattrice dalla casa editrice *Einaudi*.

Nel 1950 sposa Gabriele Baldini, professore incaricato di Letteratura inglese a Trieste; Natalia continua a vivere a Torino.

Nel 1962 pubblica la raccolta di saggi *Le piccole virtù* e nel 1963 pubblica il romanzo autobiografico *Lessico famigliare*, dal quale emerge l'atmosfera intellettuale e antifascista in cui è cresciuta.

Nel 1973 pubblica il romanzo narrativo-epistolare *Caro Michele*.

Nel 1991 muore nella sua casa di Roma durante la notte tra il 7 e l'8 ottobre.

BIBLIOGRAFIA SPECIFICA SU NATALIA GINZBURG

GINZBURG N. *Le piccole virtù*, Torino, Einaudi, 1962

ALBERTO MORAVIA

BIOGRAFIA

La presenza di Moravia (Roma 1907-1990) nella vita culturale e intellettuale del secolo scorso è stata costante: è uno degli scrittori che più hanno agito su un vasto pubblico, specie tra gli anni ’50 e ’60.

Il suo primo romanzo, *Gli indifferenti* (1929), nato dalla scoperta di una realtà sociale assolutamente vuota, fatta di personaggi che agiscono uno sull’altro solo in base a un cupo egoismo, ebbe molto successo, tanto che lo scrittore si inserì attivamente nell’ambiente letterario e giornalistico: collaborò a *La Stampa* e cominciò la serie di grandi viaggi (Londra, Parigi, Stati Uniti, Cina, ...) che contraddistingueranno tutta la sua vita. Nei suoi scritti giornalistici si adeguò agli orientamenti della cultura di regime, ma il fascismo guardava con sospetto alla sua produzione narrativa: nel 1941, il romanzo satirico *La mascherata* suscitò un intervento più duro del regime, che gli impedì di scrivere sui giornali se non con uno pseudonimo. Intanto nel 1943 scrisse *Agostino* e, tornato a Roma dopo la Liberazione, riprese una fittissima attività letteraria e giornalistica, collaborando anche al *Corriere della Sera* e all’*Espresso*.

Il successo del nuovo romanzo *La romana* (1947) dette nuovo peso alla sua presenza nel mondo intellettuale, consacrandolo come “neorealista”; le sue opere divenivano anche spunto per numerosi soggetti cinematografici, venivano tradotte nelle principali lingue e diffuse in molti paesi. Inoltre, negli anni ’50, Moravia si accostò anche alla scrittura teatrale.

Il successo ulteriore de *La noia* (1960), in cui si narra come, nell’attuale crisi della civiltà occidentale, il solo contatto autentico con la realtà possa essere quello dell’esperienza erotica, amplificò il rilievo mondano dello scrittore che fu, volta a volta, bersaglio di conservatori e reazionari, emblema di intellettuale impegnato a sinistra, curioso dei più svariati aspetti dell’attualità culturale, capofila di un gruppo intellettuale a cui era strettamente legato anche Pier Paolo Pasolini.

È stato anche deputato al Parlamento europeo tra il 1984 e il 1989.

BIBLIOGRAFIA SPECIFICA SU ALBERTO MORAVIA

MORAVIA A. *Racconti romani*, Milano, Bompiani, 1954, rist. 1999

MORAVIA A. *Racconti surrealisti e satirici*, Milano, Bompiani 1956, rist. 2000

MORAVIA A. *Boh*, Milano, Bompiani, 1976, rist. 2000

Nuovo Progetto italiano 3

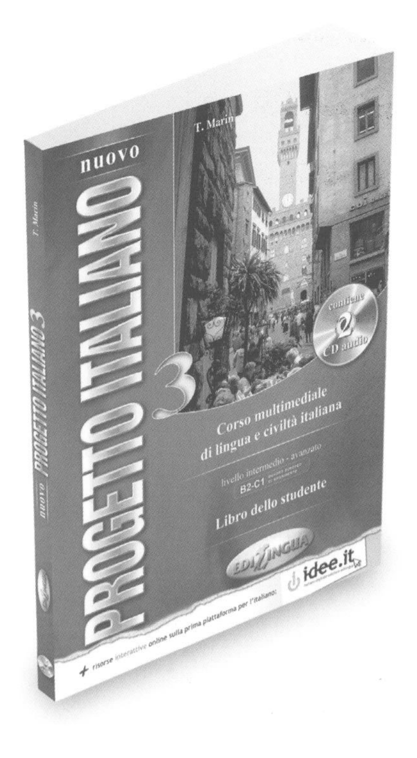

Nuovo Progetto italiano 3 è il terzo livello di un moderno corso multimediale d'italiano e si può usare anche indipendentemente dai primi due. Studiato in modo da poter essere inserito in curricoli didattici diversi, può essere corredato dal *La Prova orale 2* e da *Ascolto Avanzato*. È orientato al Quadro Comune Europeo di Riferimento per le Lingue e alle tipologie delle certificazioni italiane.

Nuovo Progetto italiano 3 si compone di:

- **Libro dello studente**, articolato in 32 brevi unità didattiche, conserva e rafforza la sua filosofia induttiva di scoperta e offre nuovo e vario materiale autentico, nuove sezioni dedicate all'approfondimento delle funzioni grammaticali e comunicative, nuovi compiti comunicativi. Stimola gli studenti all'autonomia e alla riflessione linguistica.
- **Quaderno degli esercizi**, presenta, per ciascuna unità del Libro, varie attività con nuove tipologie di esercizi e nuovi test di verifica ogni 4 unità.
- **i-d-e-e**, una piattaforma che comprende tutti gli esercizi del Quaderno in forma interattiva e una serie di risorse e strumenti per studenti e insegnanti.
- **Guida per l'insegnante** (anche **online**), con preziosi consigli e tanti suggerimenti per un miglior uso del libro; giochi, attività ludiche, le trascrizioni dei brani di ascolto, le soluzioni degli esercizi e altro materiale da fotocopiare.
- **2 CD audio**, allegati al Libro dello studente, contengono gli ascolti autentici, tra cui le interviste incentrate su alcuni argomenti delle unità, e altri testi per la comprensione orale registrati da attori professionisti.
- **Attività online**, per approfondire l'argomento trattato nell'unità.
- **Attività extra e ludiche online**, gratuitamente scaricabili dal nostro sito, offrono all'insegnante una grande quantità di materiale supplementare per rendere la lezione più interessante e motivante.

Ascolto Avanzato

Materiale per lo sviluppo dell'abilità di ascolto e la preparazione alla prova di comprensione orale

Ascolto Avanzato mira allo sviluppo dell'abilità di ascolto e, nello stesso tempo, alla preparazione della prova di comprensione orale degli esami delle certificazioni delle Università di Perugia (Celi 4 e 5) e Siena (Cils TRE C1 e QUATTRO C2), Plida (C1 e C2) o altri simili.
Ognuno dei 30 testi è corredato da esercitazioni di tipo: scelta multipla, completamento con le parole mancanti, individuazione di informazioni esistenti o meno.
Tutti i brani sono stati accuratamente selezionati da programmi televisivi e radiofonici trasmessi da emittenti italiane. Essi coprono un'ampia gamma di argomenti: dialoghi telefonici, ricette, favole, interventi, fatti di cronaca, interviste, servizi sulla cultura e così via. Così lo studente ha la possibilità di entrare in contatto non solo con la lingua viva, ma anche con la realtà italiana.
Ascolto Avanzato è accompagnato da un'audiocassetta o da un CD audio (60 min.) per lo studente e dal libro con le trascrizioni dei testi e le chiavi degli esercizi.

La Prova Orale 2

Materiale per la conversazione e la preparazione agli esami orali

La Prova Orale 2 costituisce il secondo volume di un moderno manuale di conversazione che mira a fornire quelle opportunità e quegli spunti idonei ad un esprimersi spontaneo e corretto, e, nello stesso tempo, a preparare gli studenti ad affrontare con successo la prova orale delle certificazioni delle Università di Perugia (Celi 3, 4 e 5) e Siena (Cils DUE B2, TRE C1 e QUATTRO C2), Plida (B2, C1 e C2) o altri diplomi.
La conversazione trae continuamente spunto da materiale autentico (fotografie-stimolo da descrivere o da mettere a confronto, grafici e tabelle da descrivere, articoli giornalistici, testi letterari e saggistici da riassumere, massime da commentare, compiti comunicativi da svolgere) corredato da una grande quantità di domande che motivano e stimolano gli studenti. Un glossario, infine, aiuta gli studenti a prepararsi per la discussione.
La Prova Orale 2 si può adottare in classi che hanno completato circa 160-180 ore di lezione e usare fino ai livelli più avanzati; il libro può essere inserito in curricoli diversi.

Una grammatica italiana per tutti 2

Regole d'uso, esercizi e chiavi per studenti stranieri

Una Grammatica italiana per tutti si rivolge a studenti adolescenti e adulti e può corredare e completare qualsiasi manuale, in quanto progettata seguendo una gradualità, sia grammaticale sia lessicale, che rispecchia i libri di testo utilizzati nei corsi di lingua di questo livello. Ciò non toglie, ovviamente, che il libro, grazie alle chiavi degli esercizi e alla sua impaginazione chiara e moderna, possa essere utilizzato anche in autoapprendimento.

Il primo volume (A1-A2) comprende i seguenti fenomeni: nome, articolo, presente indicativo, passato prossimo, imperfetto, futuro, imperativo, condizionale, aggettivo, preposizioni, pronomi diretti, ci e ne, pronomi indiretti, si impersonale. Il secondo volume (B1-B2) comprende invece: indefiniti, comparativi, interrogativi, pronomi combinati e relativi, imperativo, passato remoto, congiuntivo, si passivante, forma passiva, discorso indiretto, subordinazione.

Mosaico Italia

Percorsi nella cultura e nella civiltà italiana (B2-C2)

- 6 capitoli che trattano gli aspetti salienti e più caratteristici della realtà italiana.
- Ciascun capitolo contiene: testi, ascolti, immagini e attività. Più tre sezioni fisse dedicate al cinema, alla letteratura e all'arte figurativa.
- CD audio con 24 ascolti autentici.

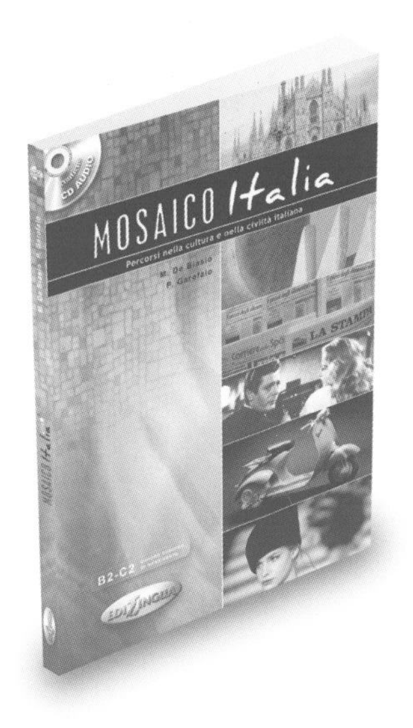

PRIMIRACCONTI
letture semplificate per stranieri

Primiracconti è una collana di racconti rivolta a studenti di ogni età e livello. Ogni storia è accompagnata da brevi note e da originali e simpatici disegni. Chiude il libro una sezione con esercizi e relative soluzioni. È disponibile anche la versione libro + CD audio che permette di ascoltare tutto il racconto e di svolgere delle brevi attività.

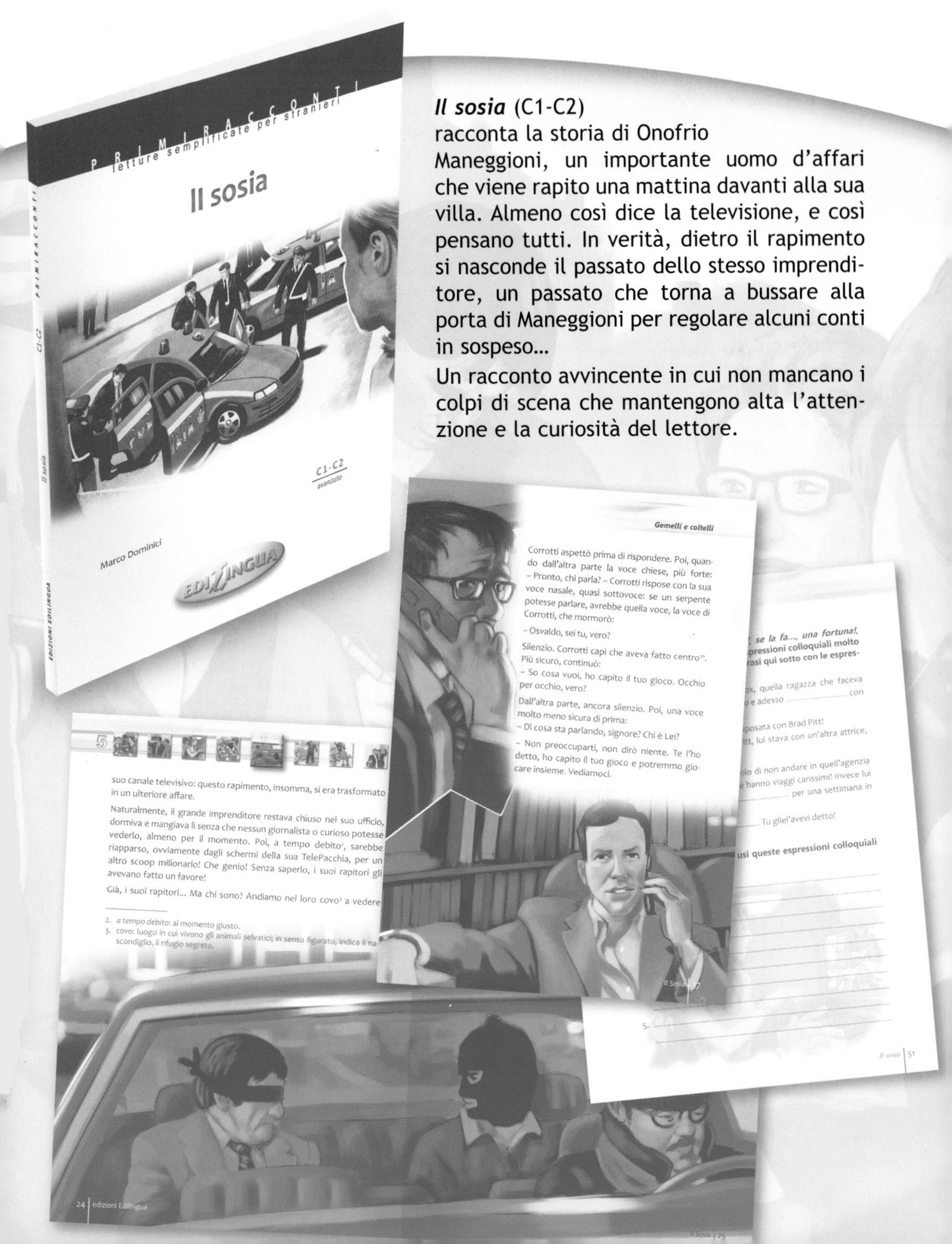

Il sosia (C1-C2)
racconta la storia di Onofrio Maneggioni, un importante uomo d'affari che viene rapito una mattina davanti alla sua villa. Almeno così dice la televisione, e così pensano tutti. In verità, dietro il rapimento si nasconde il passato dello stesso imprenditore, un passato che torna a bussare alla porta di Maneggioni per regolare alcuni conti in sospeso...
Un racconto avvincente in cui non mancano i colpi di scena che mantengono alta l'attenzione e la curiosità del lettore.

Edizioni Edilingua

Nuovo Progetto italiano 1, 2 T. Marin - S. Magnelli
Corso multimediale di lingua e civiltà italiana
Livello elementare - intermedio

Nuovo Progetto italiano 3 T. Marin
Corso multimediale di lingua e civiltà italiana
Livello intermedio - avanzato

Nuovo Progetto italiano Video 1, 2
T. Marin - M. Dominici
Videocorso di lingua e civiltà italiana
Livello elementare - intermedio

Progetto italiano Junior 1, 2, 3 T. Marin - A. Albano
Corso multimediale di lingua e civiltà italiana
Livello elementare - intermedio

Progetto italiano Junior Video 1, 2, 3
T. Marin - M. Dominici
Videocorso di lingua e civiltà italiana
Livello elementare - intermedio

Arrivederci! 1, 2, 3 F. Colombo - C. Faraci - P. De Luca
Corso multimediale d'italiano per stranieri
Livello elementare - intermedio

L'italiano all'università 1, 2 M. La Grassa - M. Delitala - F. Quercioli
Corso di lingua per studenti stranieri
Livello elementare - intermedio

Allegro 1, 2, 3 L. Toffolo - N. Nuti - M. G. Tommasini - R. Merklinghaus. Corso multimediale d'italiano
Livello elementare - intermedio

That's Allegro 1 L. Toffolo - N. Nuti
An Italian course for English speakers
Elementary level

Centro! 1 D. Baldassarri - M. Brizzi
Attività per stranieri sulla grammatica e il lessico
Livello elementare

La Prova orale 1, 2 T. Marin
Manuale di conversazione
Livello elementare - intermedio - avanzato

Vocabolario Visuale T. Marin
Livello elementare - preintermedio

Primo Ascolto T. Marin
Materiale per lo sviluppo della comprensione orale
Livello elementare

Ascolto Medio T. Marin
Materiale per lo sviluppo della comprensione orale
Livello medio

Ascolto Avanzato T. Marin
Materiale per lo sviluppo della comprensione orale
Livello superiore

Collana Raccontimmagini S. Servetti
Prime letture in italiano. Livello elementare

Forte! 1, 2, 3 L. Maddii - M. C. Borgogni
Corso di lingua italiana per bambini (6-11 anni)
Livello elementare

Preparazione al Celi 3 M. A. Rapacciuolo
Preparazione alle prove d'esame. Livello intermedio

Preparazione al Test per immigrati L. Boschetto
Prove d'esame per il rilascio del permesso di soggiorno di lungo periodo. Livello elementare

Diploma di lingua italiana
A. Moni - M. A. Rapacciuolo
Preparazione alle prove d'esame

Sapore d'Italia M. Zurula
Antologia di testi. Livello medio

Scriviamo! A. Moni
Attività per lo sviluppo dell'abilità di scrittura
Livello elementare - intermedio

Via della Grammatica M. Ricci
Livello elementare - intermedio

Una grammatica italiana per tutti 1, 2
A. Latino - M. Muscolino
Livello elementare - intermedio

La grammatica vien leggendo L. Ruggieri
Livello intermedio

I verbi italiani per tutti R. Ryder
Livello elementare - intermedio - avanzato

Raccontare il Novecento
P. Brogini - A. Filippone - A. Muzzi
Percorsi didattici nella letteratura italiana
Livello intermedio - avanzato

Invito a teatro L. Alessio - A. Sgaglione
Testi teatrali per l'insegnamento dell'italiano a stranieri. Livello intermedio - avanzato

Mosaico Italia M. De Biasio - P. Garofalo
Percorsi nella cultura e nella civiltà italiana
Livello intermedio - avanzato

Colori d'Italia P. Quadrini - A. Zannirato
Italiano per corsi avanzati
Livello avanzato

Collana L'Italia è cultura M. A. Cernigliaro
Collana in 5 fascicoli: Storia, Letteratura, Geografia Arte, Musica, cinema e teatro. Livello B2-C1

Collana Primiracconti
Letture graduate per stranieri
Dieci Racconti (A1-A2) M. Dominici
Traffico in centro (A1-A2) M. Dominici
Mistero in Via dei Tulipani (A1-A2) C. Medaglia
Un giorno diverso (A2-B1) M. Dominici
Il manoscritto di Giotto (A2-B1) F. Oddo
Lo straniero (A2-B1) M. Dominici
Alberto Moravia (A2-B1) M. A. Cernigliaro
Undici Racconti (B1-B2) M. Dominici
L'eredità (B1-B2) L. Brisi
Ritorno alle origini (B1-B2) V. Mapelli
Italo Calvino (B1-B2) M. A. Cernigliaro
Il sosia (C1-C2) M. Dominici

Collana Cinema Italia A. Serio - E. Meloni
Attività didattiche per stranieri
Caro diario (A2-B1)
Io non ho paura - Il ladro di bambini (B2-C1)
I cento passi - Johnny Stecchino (C1-C2)

Collana Formazione

italiano a stranieri
Rivista quadrimestrale per l'insegnamento dell'italiano come lingua straniera/seconda